À propos de l'auteur

Colin Turner est un chef de file de renommée internationale dans le domaine du développement personnel. Il marie la philosophie orientale aux préceptes modernes de l'Occident pour en faire une synthèse pratique, applicable à la vie de tous les jours. Ses conférences stimulantes contiennent des principes universels qui favorisent la croissance spirituelle quotidienne et sont compatibles avec les réalités économiques. Ses programmes et ses ouvrages, dont les best-sellers Eurêka*, Born to Succeed, Financial Freedom, *et* Swimming with Piranha Makes You Hungry, *sont une source d'inspiration pour les lecteurs du monde entier. Les plus grandes entreprises ont adopté son approche raisonnée du monde des affaires.*

* Publié aux éditions Un monde différent.

Créé pour vivre

L'histoire captivante
de l'esprit humain
à la recherche de la plénitude

Données de catalogage avant publication (Canada)

Turner, Colin

Créé pour vivre: l'histoire captivante de l'esprit humain à la recherche de la plénitude

(Collection Romans d'inspiration)
Traduction de: Made for life

Comprend des références bibliographiques

ISBN 2-89225-388-8

1. Vie spirituelle. 2. Réalisation de soi. 3. Gestion de soi. I. Titre. II. Collection.

BL624.T8714 1999 291.4'4 C99-941607-3

Cet ouvrage a été publié en langue anglaise sous le titre original:
MADE FOR LIFE, A COMPELLING STORY OF THE HUMAN SPIRIT'S QUEST FULFILMENT
Published in Great Britain in 1997 by In Toto Books
Published un 1998 by Hodder and Stoughton
A division of Hodder Headline PLC, Coronet Books

Dépôts légaux: 4e trimestre 1999
Bibliothèque nationale du Québec
Bibliothèque nationale du Canada
Bibliothèque nationale de France

Conception graphique de la couverture:
SERGE HUDON

Version française:
SONIA SCHINDLER

Photocomposition et mise en pages:
COMPOSITION MONIKA, QUÉBEC

ISBN 2-89225-388-8

Nous reconnaissons l'aide financière du gouvernement du Canada par l'entremise du Programme d'Aide au Développement de l'Industrie de l'Édition pour nos activités d'édition (PADIÉ).

(Édition originale: ISBN 0 340 72887 6, In Toto Books, Great Britain)

Imprimé au Canada

Colin Turner

Créé pour vivre

L'histoire captivante
de l'esprit humain
à la recherche de la plénitude

Les éditions Un monde différent ltée
3925, Grande-Allée
Saint-Hubert (Québec), Canada
Tél.: (450) 656-2660
Site web: http://www.umd.ca
Courriel: info@umd.ca

À ma mère

«Pourquoi t'es-tu enlevé la vie?»

C'était la seconde fois que la voix posait la question. L'homme ne voulait pas répondre, mais ces mots jaillirent quand même de ses lèvres.

– Qu'aurais-je pu faire d'autre?»

Impassible, la voix répondit: «Tu as renoncé à lutter, tu t'es laissé aller au désespoir.

– Ce n'était pas ma faute, je n'avais pas le choix!» Il chercha à se défendre. «J'ai essayé, j'ai vraiment essayé, mais chaque fois que je réussissais à découvrir quelque chose d'agréable dans ma vie, un événement se produisait pour tout gâcher.

– Peut-être aurais-tu pu *essayer* avec plus de conviction, tu avais du talent à revendre.» La voix transforma la question en déclaration.

– Oui, des tas de talents, mais je n'ai jamais eu la possibilité de m'en servir ou de les développer! Si seulement on m'avait donné un peu plus de chances, j'aurais pu m'en sortir.

– Tu avais déjà l'esprit, les points forts, le talent et la capacité nécessaires pour atteindre ton but particulier dans la vie. C'est pour ça que tu as été créé. Un homme qui *est*; et non pas un homme qui *fait*. Tu dois découvrir qui tu es et le devenir. Et non pas simplement passer ta vie à *faire* pour t'en sortir; à espérer et à souhaiter que quelque chose se produise qui puisse te convenir.» La voix se tut, l'homme prit conscience du silence, de l'obscurité.

«L'aigle s'élève majestueusement dans les airs et le minuscule lézard se faufile sous une pierre. Les deux jouent des rôles qui sont parfaitement naturels, qui correspondent au sens de leur vie et à leur contribution. La conduite de l'aigle est appropriée et celle du lézard est également dans l'ordre des choses. Il en est de même pour toi.

«Si l'aigle se comportait comme un lézard, se sentirait-il frustré? Bien entendu! Car il sentirait constamment que quelque chose va de travers, qu'il est capable d'atteindre de plus hauts sommets. Son sentiment naturel d'appartenance deviendrait un état anormal qui l'obligerait à aspirer à quelque chose d'autre.

– C'est comme ça que je me sentais!», dit l'homme. «Je savais qu'il y avait quelque chose que je saurais bien faire, mais je n'avais personne pour m'indiquer la voie à suivre.

– Il y avait *toujours* quelqu'un, car il n'y a pas d'âme plus apte à te diriger que la tienne.» La voix s'était amplifiée, se rapprochait, puis elle enchaîna avec douceur.

«Parlons-en davantage, car il est vrai que tout être humain se voit attribuer un code qui renferme le sens et le but de sa vie, mais qu'il ne sait pas comment s'y prendre pour le déchiffrer.

«Bien que notre vie sur terre soit censée être une école de l'âme, elle s'est engagée dans un chemin de traverse qui nous éloigne d'un certain type de connaissances. Cette sagesse qui guide notre âme doit être redécouverte et comprise. Il y a des moments où l'âme se met expressément à la recherche d'une enveloppe charnelle qui l'aide à se développer et à s'élever. Ton histoire a commencé bien avant ta naissance.»

«Vous voulez dire qu'en réalité j'ai choisi ma vie, choisi d'être moi?» L'homme avait oublié à quel point il n'avait pas eu envie de parler. C'était maintenant un besoin. Son excitation contrastait avec sa voix calme et modulée.

– La vie comporte plusieurs niveaux et des facteurs bien définis en déterminent le cours. Grâce à une certaine dynamique, ton âme a recherché un certain type de culture, de milieu et de croyances avant ta naissance, car elle était prête à en faire l'expérience.

– Vous dites qu'une *certaine* dynamique de mon âme a fait ce choix, qu'est-ce que cela signifie? Pourquoi est-ce que moi, ou mon âme comme vous l'appelez, aurait fait ces choix? Ce n'était *pas* ce que *je* voulais. J'aurais préféré être quelqu'un de complètement différent et je suis sûr que j'aurais pu élargir mes expériences, comme vous dites, si j'avais fait un meilleur choix.

– Il est important de savoir», continua la voix, en insistant sur certains mots pour l'aider à comprendre, «que l'âme est complètement détachée de la notion de *comparaison*. L'âme sait bien qu'on peut la comparer à une seule vague dans un océan de vagues. Certaines sont hautes, tandis que d'autres sont basses, mais chacune d'elles fait partie d'un seul état unifié. Chaque goutte d'eau peut être recueillie et utilisée indépendamment, et pourtant, elle n'en conserve pas moins les caractéristiques de l'eau. Quel que soit le contenant dans lequel elle est versée, elle est dans son élément.

«Sur le plan physique, cependant, à l'origine de la culture et des croyances, diverses idées endoctrinées ont donné naissance à un état de comparaison qui n'est pas naturel. Ton âme ne perçoit pas qu'un corps est meilleur ou pire qu'un autre. Son *but* est d'arriver à un état qui lui permettra de se développer.

«Cela signifie qu'elle doit exprimer son potentiel sur le plan physique, afin de mieux assimiler l'expérience. Tout comme l'eau, l'âme est capable d'apporter à son contenant toute la dynamique essentielle pour réaliser le potentiel qu'une enveloppe charnelle peut atteindre. Intégrée au sein de l'âme de chaque homme, chaque femme et chaque enfant, il existe une dynamique qui lui permet d'atteindre son but particulier.

«Les forces fondamentales, qui sont essentielles pour cette dynamique, peuvent être développées efficacement dans l'enveloppe charnelle choisie. C'est une des raisons pour lesquelles elle a été choisie. Cependant, c'est une autre dynamique qui joue le rôle d'*étincelle*, et une troisième qui te guide vers ce que tu dois devenir. Cette dynamique, cette essence de l'âme, agit comme une *clé*.»

La voix se tut. L'homme en profita pour réfléchir à ces paroles et à leur signification. Il se sentait dupé, comme si on l'avait tenu à l'écart de quelque énorme secret qui était évident pour tout le monde sauf pour lui. «Mais, pourquoi n'ai-je pas su ce que j'étais destiné à réaliser? Pourquoi ne me l'a-t-on pas dit, d'une façon ou d'une autre?

– Quand nous nous incarnons dans un corps physique», reprit la voix, «et que nous sommes assaillis par les douleurs et les plaisirs que nous ne pouvons ressentir que sur le plan physique, nous oublions notre vraie nature et notre but. Nous ne nous percevons alors que comme un esprit et un corps, avec des préférences et des aversions, et non pas comme une âme dotée d'un sens et d'un but. Si l'étincelle est trop faible, comment un processus quelconque peut-il être déclenché? Il ne le peut tout simplement pas.

«C'est pour cette raison métaphorique que ton âme a choisi un environnement et une culture qui convenaient parfaitement à l'adversité dont elle avait besoin pour s'élever. À l'instar de l'arc-en-ciel qui n'apparaît que grâce au mauvais temps, les vraies couleurs de l'âme ne commencent à briller que grâce à l'adversité. L'adversité est le catalyseur qui permet à l'âme de s'élever.»

L'homme pensa immédiatement à son enfance. Ses souvenirs lui échappaient, tandis qu'il cherchait à se rappeler sa plus tendre enfance. Il éprouvait la tristesse de celui qui a subi une perte et, durant un moment, il ressentit une douleur comme si quelque chose ou quelqu'un lui faisait regretter éternellement ce qu'on venait de lui enlever. Il lui était difficile de se concentrer et l'image qu'il essayait de retenir était floue.

«Mais, si l'âme est déjà capable de se diriger vers son but, alors pourquoi a-t-elle besoin de problèmes à surmonter pour s'élever? En fait, pourquoi a-t-elle besoin de s'élever?» Il avait toujours trouvé du réconfort dans l'habitude qui consistait à poser des questions qui commençaient par «mais». Elles lui donnaient le temps de réfléchir, ou bien, se demanda-t-il, était-ce sa façon d'essayer de justifier ses pensées?

La voix semblait comprendre les difficultés de l'homme. «Encore une fois, tout comme l'exemple de l'arc-en-ciel, dans lequel les sept couleurs se manifestent grâce à la lumière pure, le pur esprit est composé de sept centres de conscience. Lorsque le pur esprit passe par ce processus particulier, afin de connaître l'expression physique, il occupe le niveau d'évolution qu'il a atteint à ce moment-là.

«Ton âme doit chercher à passer au niveau supérieur grâce aux obstacles, tout comme le niveau de l'eau ne peut s'élever que lorsqu'elle rencontre un obstacle. Sa tendance naturelle est de s'écouler, mais chaque fois qu'elle rencontre un obstacle son niveau doit s'élever afin qu'elle puisse le surmonter. Elle ne peut pas continuer avant d'avoir surmonté cette barrière. Est-ce que tu peux comprendre que plus la barrière ou l'obstacle est grand, plus le niveau doit s'élever pour le surmonter?

«Le but ultime de l'âme est d'atteindre le plus haut niveau de conscience, afin de retrouver la source dont elle vient sous une forme plus évoluée et plus forte. Pour atteindre son but, l'âme doit transcender divers niveaux de conscience. Pour ce faire, elle doit passer par des expériences physiques qui lui permettront d'apprendre et d'enseigner l'amour.

«Tes parents avaient une personnalité, un milieu, une culture et des croyances qui allaient influencer la façon dont ils te percevraient et te traiteraient durant tes premières années. Le niveau de friction ou d'harmonie qui existait aurait été considéré par l'âme comme un milieu parfait pour lui fournir les leçons dont elle avait besoin.

«La mesure dans laquelle tu choisis d'apprendre, d'assimiler ou de résister aux leçons émanant de ce milieu, dépend de ton développement et de ton orientation. En d'autres termes, ton monde extérieur dépend de ton monde intérieur, l'extérieur est le reflet de l'intérieur. Pense à ton "monde".»

Encore une fois, l'homme chercha dans ses souvenirs. Des images nébuleuses défilaient dans son esprit comme de vieilles photographies floues.

Lentement, elles devenaient plus claires à mesure qu'une image mouvante prenait corps. Il revivait un événement particulier, mais cette fois en tant qu'observateur.

«As-tu besoin d'être aussi dur avec lui et est-il nécessaire de blasphémer à ce point tout le temps? Il t'imitera!» Sa mère disait souvent ces choses à son père, une sorte de combinaison de remontrances et de tentatives de pacification. Ce n'était pas une femme robuste, mais elle n'était pas menue non plus, simplement maternelle avec un genre de visage qui avait toujours l'air anxieux, l'air d'attendre.

«Il doit apprendre à m'obéir, et en quoi le nom de Dieu est-il blasphématoire?» répliquait son père. Il appliquait rageusement de la peinture sur la porte arrière et son pinceau ponctuait ses «nom de Dieu!» avec un surcroît d'énergie.

C'était ainsi que les querelles commençaient, chacun essayant de marquer des points. Elles se termineraient par des phrases acerbes qu'ils ne pensaient pas vraiment mais qu'ils ne pouvaient retenir, tout en sachant qu'elles blesseraient l'autre.

Son père pouvait faire preuve de bonté, mais seulement quand cela lui convenait, ou quand les autres satisfaisaient tous ses désirs. C'était la frustration qu'il portait sur le visage qui expliquait son irritabilité.

Ce qui frappa l'homme lorsqu'il revit ces accès de colère, c'est que son père ne semblait jamais se conformer aux ordres qu'il donnait continuellement. Il répétait souvent d'une voix gémissante son cliché préféré: la vie lui avait «distribué injustement de mauvaises cartes», ce à quoi sa mère rétorquait que ce qui comptait n'était pas ce qu'on recevait mais ce qu'on en faisait. Cela déclenchait inévitablement la bagarre de nouveau.

C'était presque comme un rituel dont ils avaient besoin de s'acquitter pour confirmer leur sécurité et leur identité. Chacun d'eux semblait vouloir contrôler l'autre. C'était un besoin plutôt qu'un désir, et c'était un besoin qui reposait sur une habitude.

L'homme trouva que ça lui faisait un effet bizarre de s'observer, et pourtant ça le détendait tout à fait de pouvoir le faire avec un tel détachement. Cela lui donnait la possibilité d'être objectif et de percevoir ses parents sous un autre jour.

Sa mère était chrétienne et elle aurait aimé aller plus souvent à l'église, mais à part des événements tels que le Jour d'action de grâce, Noël et Pâques, c'était le père qui décidait quand ils s'y rendraient. En général, c'était lorsqu'il ressentait le besoin de demander à Dieu quelque chose, quand tout n'allait pas très bien pour lui et qu'il était particulièrement inquiet.

Dans ces moments-là, l'atmosphère familiale devenait encore plus tendue. Crier et se plaindre semblaient être leur façon de se débarrasser de leurs tensions. À les entendre, il y avait lieu de penser que les deux parents trouvaient constamment à redire sur leur conjoint et sur leurs enfants. Les rares fois où des compliments étaient de mise, ils étaient prononcés avec une certaine réticence à laquelle se mêlait de la gêne causée par la rareté de l'événement.

L'homme se rappela une promesse qu'il s'était faite lorsqu'il était petit. Quand il serait grand, les choses seraient différentes. Il ne se contenterait pas d'une vie qui consistait à «joindre les deux bouts», ou à «sauver les apparences» et à «se laisser constamment ballotter d'une situation à une autre». Pourtant, même si son mode de vie et son milieu s'étaient améliorés par rapport à ceux de ses parents, il avait quand même été influencé sous d'autres aspects. Il s'était même surpris à répéter à ses enfants les mêmes choses que ses parents lui disaient et qu'il s'était pourtant juré de ne jamais prôner. En pensant à ces événements rétrospectivement, il se rendit compte que ses parents avaient fait de leur mieux. Pouvait-il en dire autant?

Il pensa que, s'il avait choisi son milieu – et même ses parents –, cela ne lui avait certainement pas permis d'apprendre. Non seulement il n'avait rien appris, mais il lui semblait qu'il était simplement devenu le prolongement de son milieu, et qu'il vivait avec les mêmes frustrations que ses parents. Il avait vécu de bons moments – des moments de bonheur – mais, de façon générale, sa vie lui avait semblé être plutôt une simple existence. Il se rendait compte maintenant qu'il n'avait vraiment jamais dirigé sa vie. C'était un monde de rêves avortés, d'espoirs perdus, un monde où ses actes lui étaient dictés.

«Pourquoi ai-je choisi cette vie?», dit-il à haute voix.

– La vie n'est pas ce que l'on croit qu'elle devrait être, elle est simplement», commenta la voix. «C'est ta façon de choisir de faire face à la vie qui change complètement les choses. Ton âme a jeté son dévolu sur des parents qui lui offriraient l'occasion d'apprendre les leçons dont elle souhaitait s'instruire. Par l'entremise de la manifestation physique, on t'a donné un certain schème d'énergie qui attire les gens et les circonstances nécessaires à certaines expériences.

«Chacun apprend grâce aux expériences, particulièrement celles qui sont difficiles et inconfortables, les expériences dans lesquelles le cœur physique pleure, mais dans lesquelles l'âme rit. Car ton âme accepte qu'il y ait une raison derrière chaque expérience. La vie devient plus facile lorsqu'on comprend cela.

«Il n'existe pas de vie inutile, de chance ou de malchance. Ton âme, qui n'est que potentiel pur, cherche à évoluer vers une âme universelle faite d'amour et de sagesse, afin de faire partie de l'expression parfaite de ces qualités: Dieu. Son évolution et sa sagesse sont acquises grâce à l'existence sur le plan physique.

«Bien que ton âme soit libre de choisir la vie qu'elle recherche, sa forme physique dépend d'une programmation, qui donne souvent lieu à une mauvaise décision, lorsqu'on relève un défi déjà fixé. Lorsque tu prends ta forme physique, tu n'es pas conscient de ce que tu es venu faire, parce que cette connaissance t'empêcherait de relever les défis.

«C'est ainsi que tu peux t'écarter de ta route, ne pas apprendre ou accomplir ce que tu es censé accomplir. En recevant la vie, tu as aussi reçu une mission particulière ou quelque chose à apprendre, et donc personne n'intervient dans ta vic par accident. Quiconque entre dans ta vie est une bénédiction et non pas une punition, bien que cela ne soit pas immédiatement perceptible.

«Les rapports humains font partie de la raison pour laquelle nous vivons, car ce n'est qu'à travers eux que nous nous développons et nous nous éveillons. Certaines personnes nous offrent des leçons extrêmement importantes, d'autres des leçons moindres. Tu as été créé pour donner à tes parents des leçons, tout comme ils devaient t'en donner: l'amour, la tolérance, la compréhension et l'acceptation.»

– Mais nous avions l'air de nous aimer tous», dit l'homme, «ma mère nous a certainement fait connaître des moments d'amour et de bonheur. Je ne peux pas comprendre pourquoi nos vies étaient remplies de tant de désespoir, d'anxiété et de récriminations!»

L'homme savait que ses paroles reflétaient la tristesse qu'il ressentait car la voix s'était adoucie. Il en sentait la bonté.

«Tout simplement parce que nous utilisons des désirs nés de nos émotions pour atteindre le bonheur. On nous a dit que c'est ce qu'il fallait faire pour être heureux, mais ça ne donne pas grand-chose; peut-être quelques sentiments de plaisir temporaires qui fournissent une motivation à nos actes, mais pas le bonheur.

– Que voulez-vous dire par des désirs nés des émotions?», demanda l'homme.

– En vue d'atteindre l'expression parfaite des qualités de l'Esprit Infini, Dieu, chaque être recherche un but particulier. Au cœur de chacun de ces buts, il y a une quête fondamentale. Cette quête immensément difficile consiste à apprendre à aimer inconditionnellement. Ta famille ne connaissait pas le plaisir qu'apporte l'amour inconditionnel et, par conséquent, ne savait pas l'exprimer.

– À cause de la façon dont son corps physique a été programmé durant les premières années de sa vie, l'être humain suppose que ses désirs, qui sont le résultat de ses émotions, sont les vrais guides qui mènent au bonheur. Personne ne trouvera jamais le bonheur ou la plénitude grâce à des désirs provenant d'émotions, parce qu'en fait ils sont conditionnels, ils dépendent de quelque chose. En essayant de satisfaire ces désirs conditionnels, nous passons d'une illusion du bonheur à une autre. C'est l'illusion qui consiste à se dire: "Si je pouvais faire ceci, ou cela, alors je serais heureux".»

L'homme se rappela combien de fois ses parents avaient répété cette même phrase.

Son père disait toujours à sa mère: *«Si seulement je pouvais gagner plus d'argent, je serais heureux»* ou encore: *«Je pourrais vous emmener tous en vacances, et acheter à toute la famille de nouveaux vêtements.»* Il s'examinait dans le miroir du couloir, resserrait sa cravate, puis annonçait: *«Mais je ne vais pas en gagner plus là où je me trouve maintenant. C'est comme une impasse.»*

À ce moment-là, ils se rendaient tous compte qu'ils allaient bientôt faire leurs bagages et recommencer encore une fois: les choses allaient changer grâce à un changement d'adresse. Ce discours familier se terminait généralement par ces paroles: *«Si je pouvais obtenir la promotion que je mérite, je serais bien plus heureux, il faudrait déménager mais je sais que je serais plus heureux dans une belle maison neuve, quelque part ailleurs.»* Ensuite, il leur faisait un sourire plein d'approbation et partait travailler.

Plusieurs souvenirs lui confirmèrent qu'en dépit d'un grand nombre de déménagements, de promotions et d'emplois différents, les refrains avaient continué. Il repensa au nombre de fois où il les avait utilisés lui-même. Il avait même emprunté le dernier refrain: *«Si je pouvais seulement trouver l'âme sœur, alors je serais heureux.»*

«Les désirs nés des émotions nous guident dans nos relations», continua la voix, s'insinuant mystérieusement dans les pensées de l'homme, «donc nous cherchons quelqu'un qui répondra à nos besoins et à nos désirs, croyons-nous. Bien sûr, nous vivons des moments agréables, mais comme nous aimons conditionnellement, d'un amour qui est fondé sur le contrôle, la relation se détériore et nous sommes convaincus que, somme toute, nous avons mal choisi.

«Ceux qui suivent le chemin qui permet d'apprendre l'amour inconditionnel savent qu'il est beaucoup plus important d'*être* la bonne personne que de *trouver* la bonne personne. Toutes les émotions désagréables sont absolument inutiles et sont des guides trompeurs qui nous empêchent de nous comporter efficacement. Pourtant, la plupart des gens continuent à se flageller mentalement lorsque le monde extérieur ne correspond pas au paysage émotionnel de leur monde intérieur.

«Leurs actes mêmes les entraînent dans des montagnes russes, ce qui les maintient aux niveaux inférieurs de la conscience. L'âme cherche désespérément à s'élever, à quitter ces niveaux, mais ça lui est très difficile car presque tous les moyens que l'on nous a appris pour atteindre le bonheur nous en éloignent en réalité.

– Presque tous les moyens que l'on nous a appris pour atteindre le bonheur ont l'effet opposé?» L'homme était surpris, mais ressentit rapidement une autre émotion bien plus forte. «Si cela est le cas», commença-t-il en hésitant, «alors ce geste, mon geste, n'était pas ma faute.» Il s'arrêta en cherchant une idée qui confirmerait qu'après tout il n'était absolument pas à blâmer pour ce qu'il avait fait, puisqu'il n'avait pas le contrôle de ses actes.

– On ne peut pas se débarrasser si facilement des responsabilités», dit la voix avec fermeté.

– Je ne cherchais pas une justification.» À cet instant l'homme s'arrêta, car il savait tout aussi bien que la voix que c'était exactement ce qu'il cherchait. Il réfléchit encore à l'énormité de ce que la voix venait de lui révéler puis demanda: «Pourquoi nous a-t-on enseigné cette façon de faire?»

«Nous avons permis à notre vrai moi de capituler sans nous en rendre compte, voilà la réponse en quelques mots», répondit la voix.

Il y eut un long silence tandis que l'homme attendait, impatient de connaître la suite. Cette voix, avec son inlassable détermination, lui donnait la raison, la connaissance, et aussi quelque chose de précieux, le temps. Le temps de parler. Le temps d'écouter.

«La plupart des êtres humains occupent un niveau de conscience qui cherche à s'exprimer au moyen du contrôle», reprit la voix; les mots se laissaient porter par ses plaisantes modulations et pénétraient dans l'esprit de l'homme.

«On recherche ce contrôle à cause d'une croyance fallacieuse: nous sommes convaincus qu'il nous apportera la sécurité que nous désirons avec ardeur. C'est une illusion, une illusion créée par notre monde extérieur. Chacun de nous vit dans deux mondes simultanément: un monde extérieur et un monde intérieur. Ils nous mènent vers le progrès, le désir d'acquérir des biens, le pouvoir et le besoin de se transcender.

«Les gens vivent dans un monde physique extérieur qui comprend les autres, l'argent, les possessions matérielles, les voitures, les maisons et les gouvernements. Ils vivent aussi dans un monde intérieur, un monde spirituel fait de pensées, de sentiments, d'intuitions et de désirs. Les deux sont nécessaires à l'équilibre indispensable pour élever le niveau de conscience, mais même si les anciens nous ont enseigné qu'il fallait accorder la première place à notre monde intérieur, la majeure partie de l'humanité a choisi de ne pas le faire.

«C'est ce que démontre le récit biblique concernant Caïn et Abel. Chaque frère illustre les deux options disponibles lors de la quête qui permet d'apprendre dans le monde physique.

«Caïn est caractérisé par le désir d'*acquérir*; ce terme est un dérivé hébreu de son nom. Il représente une option qui permet de percevoir les objets comme des choses distinctes que l'on peut acquérir, contrôler et manipuler. Motivé par l'égoïsme, le monde est perçu comme un lieu où l'on doit se poser les questions suivantes: "En quoi ceci a-t-il une influence sur moi?" et "Comment puis-je utiliser ceci?"»

Tandis qu'il écoutait, l'homme se sentit coupable et pensa à la façon dont il avait évalué tant de choses qu'il avait accomplies, même pour les autres, exactement selon ces critères.

«Alors que Caïn s'*empare*, Abel représente l'option *réceptive* qui, associée à un moi modéré, perçoit son monde comme un tout "interrelié". Le nom Abel est dérivé d'une racine hébraïque qui signifie *respiration*, symbole de la façon de calmer l'esprit et de l'écouter au moyen de la méditation. À mesure que l'avidité extérieure de l'esprit diminue, l'esprit intérieur réceptif commence à se rappeler le but pour lequel il a été créé.

«La lutte continuelle entre ces deux options, les deux mondes de l'humanité, est illustrée dans toutes les vraies religions. Les histoires symbolisent également le pourquoi, durant des siècles, la civilisation a été dominée par l'option de Caïn qui a écrasé l'option d'Abel.

«Ce principe est le fondement même de la façon dont les gens traitent les autres. En règle générale, l'être humain cherche à trouver sa sécurité et son bonheur au moyen de la manipulation et du contrôle de son monde extérieur. Il considère que ce monde est distinct de sa personne.

«La vérité est que le monde intérieur de l'être humain contrôle et détermine son monde extérieur. Et c'est parce que l'humanité ne prend pas conscience de cette vérité ou ne l'accepte pas, que les êtres humains continuent toujours à se sentir malheureux et privés de sécurité.»

L'homme se souvint comment il avait continuellement essayé d'organiser sa vie pour pouvoir en tirer le plus de satisfactions. Cependant, toutes ses joies ne semblaient pas durer très longtemps. Elles ne lui avaient jamais apporté la sécurité ou le bonheur, qu'il avait espérés.

«Nous nous exprimons presque toujours selon le mode de Caïn», continua la voix. «À leur insu, durant les premières années de ta vie, tes parents t'ont insufflé une façon de penser, exactement comme leurs parents les avaient programmés sans s'en rendre compte.

«Leurs comportements ont *dominé* ton monde intérieur qui s'est soumis à ton monde extérieur. Le monde extérieur dicte ses volontés; donc, afin de survivre, nous nous y adaptons et nous développons un niveau de conscience axé sur des programmes de sécurité, de plaisir et de contrôle, qui sont chargés d'émotions intenses. Nous avons appris à contrôler et à manipuler les autres par l'intermédiaire de l'amour conditionnel.

«Imagine que tu sois obligé de choisir entre deux modes de vie. L'un te permet d'être heureux uniquement quand les choses se passent comme tu le souhaites, et que tu l'as espéré. Et l'autre choix te rend heureux quoi qu'il arrive. Quel mode de vie choisirais-tu?»

– Le deuxième», répondit l'homme sans hésiter.

– Bien sûr. Cependant, il est étonnant de constater que la majorité des gens choisissent le premier parce qu'on leur a enseigné de fausses idées sur ce qui les *rendra* heureux. Ils grandissent en pensant, à tort, que le bonheur leur appartient lorsqu'ils obtiennent ce qu'ils veulent. Ce qu'ils ressentent en réalité est une excitation, une satisfaction du moi ou un sentiment de pouvoir, mais aucun de ces sentiments n'est le bonheur.»

L'homme réfléchit à toutes les choses qu'il avait ardemment désirées. Et pourtant, s'il était honnête avec lui-même, le bonheur qu'il avait ressenti en les recevant avait été vide de sens. Il n'avait pas duré et il avait rapidement éprouvé le besoin de quelque chose de mieux. «Pourquoi pensons-nous que c'est ainsi que nous trouvons le bonheur?

– Parce que l'enfant ressent des émotions négatives et dominantes pendant qu'il est à la recherche d'une sorte de guide sur la façon de se comporter dans la vie. Ces émotions ont été déclenchées, par exemple, lorsque ta mère t'a enlevé de force un objet quelconque que tu n'étais pas autorisé à manipuler de tes petites mains, et, à ce moment-là, tu as reçu des vibrations négatives fondées sur son désir de ne pas voir cet objet se briser. Tu as pleuré et tu as enregistré la première d'un grand nombre de remontrances sur ce que le monde devrait être ou sur ta façon de t'y comporter.

«Tu as acquis une conscience de toi, afin de te protéger, et une très grande sensibilité à n'importe quel comportement ou vibration provenant des autres qui pourraient menacer ta capacité de contrôler et de manipuler ton environnement. Ton ego a pris une telle importance, au point où tu avais besoin de percevoir continuellement une évidence grandissante de sa position afin de te sentir en sécurité.

«Cependant, ce faux sentiment de sécurité n'est jamais durable car il dépend de facteurs externes. Tu es né avec la capacité fondamentale de percevoir très clairement le monde. Mais ton identité, ce faux moi conditionné et développé durant les années formatrices, s'est créé un guide différent pour traiter et percevoir le monde, qui en fait t'a ancré dans les trois niveaux inférieurs de conscience.

«Ces niveaux inférieurs t'empêcheront toujours de voir la réalité de ton existence, qui est de vivre dans le moment présent. Au lieu de cela, ils t'obligent à vivre en souhaitant continuellement que chaque moment présent t'apporte une meilleure situation. À son tour, cela diminue ta perception et t'empêche d'éliminer les frustrations que tu laisses les circonstances et les problèmes t'apporter.

«Des idées fausses sur ce que la vie *devrait* t'apporter s'accumulent les unes sur les autres. Mais tu ne te rends pas compte qu'elles sont fausses, parce que tu n'es pas ton *vrai moi* mû par des impulsions intérieures. Tu deviens un être conditionnel, *influencé par des facteurs extérieurs*. Tout être humain qui n'est pas son vrai moi ne peut pas être en paix avec lui-même. Il a besoin de savoir qui il est. Comment peux-tu être en paix avec toi-même si tu ne comprends pas qui tu es?»

L'homme demeura silencieux et attendit que la voix continue. Il s'aperçut qu'une lumière brillait et semblait se refléter sur une partie de lui-même. Son esprit le transporta dans une chambre à coucher dans laquelle il était allongé sur son lit et contemplait la lumière de la pleine lune. On lui avait dit que cette lumière n'était pas celle de la lune – ce n'était qu'un reflet – une lumière empruntée au soleil.

C'était peut-être pour cette raison qu'elle lui semblait toujours artificielle, ni jour ni nuit, ni noir ni blanc. Il avait été comme cela, reflétant ce qu'il pensait qu'ils voulaient obtenir de lui ou, plus souvent, reflétant une façade afin d'obtenir ce qu'il voulait.

Il réfléchit aux dernières paroles de la voix et décida qu'il n'avait jamais vraiment été lui-même, en fait il ne se serait probablement pas reconnu s'il l'avait été. Il avait toujours essayé d'être tant de choses différentes pour tant de gens différents. Il le fallait, il s'était toujours senti tellement timide, tellement gêné. *Non,* pensa-t-il, *pas toujours, pas lorsqu'il était tout jeune enfant, c'est seulement plus tard qu'il avait commencé à ressentir de l'insécurité. À quel moment cela avait-il commencé?*

Il avait le sentiment que c'était lorsqu'il avait été incapable d'imposer sa volonté. En fait, il lui semblait qu'il obtenait de moins en moins ce qu'il voulait. Il avait cru que les gens l'avaient volontairement empêché d'obtenir ce qu'il voulait. Il ressentit la frustration familière qui commençait à grandir en lui. C'était curieusement réconfortant, un sentiment dans lequel il pouvait se retirer, lorsque le monde ne le comprenait pas.

«Pourquoi ne m'ont-ils pas choisi?» se vit-il en train de demander à sa mère, le visage crispé, la voix aiguë et pleurnicheuse.

«Te choisir pourquoi?» Son indifférence était évidente, probablement même pour un petit garçon extrêmement en colère.

Pour quelle raison ne l'écoutait-elle jamais, comme elle écoutait les autres, pourquoi n'était-elle pas vraiment attentive à lui afin qu'il se sente important?

«Je te l'ai dit déjà, pour la pièce à l'école, pour le rôle principal, celui que j'ai répété, celui que je peux jouer! Au lieu de cela, je suis juste un de ceux qui se promènent sur la scène sans rien dire. Ce n'est pas juste. Je n'ai aucun texte à dire!»

– Ils ont peut-être pensé qu'un autre garçon devrait avoir l'occasion de jouer ce rôle?

– Oh oui, un autre garçon aura l'occasion de jouer ce rôle – c'est toujours quelqu'un d'autre – jamais moi. Je crois qu'ils le font exprès, c'est ça que je crois!»

Il frappa violemment la table de cuisine avec son cartable. Il renversa légèrement le pot à lait et des gouttelettes de lait se répandirent sur l'un de ses livres. Sa mère poussa un léger soupir, les essuya, et essaya de le calmer: *«Eh bien, peut-être ont-ils cru qu'il te serait difficile de venir aux répétitions, parce que tu vis plus loin de l'école que la plupart des autres enfants.»*

Il commençait à songer que ce prétexte pouvait être pardonnable, lorsqu'elle détruisit tout en ajoutant: *«Bien que ta sœur ait joué dans la pièce l'année dernière.»* Il savait qu'il retenait ses larmes tandis qu'il s'élançait dans la cuisine en s'écriant: *«Ce n'est pas la peine de te parler, tu ne comprends jamais.»*

Puis le scénario s'estompa, mais il savait qu'elle avait dû lui crier quelque chose du pied de l'escalier. Probablement, quelque chose comme: *«Reviens ici tout de suite, tu commences à ressembler à ton père, tu es hors de toi lorsque tu n'obtiens pas ce que tu veux.»* Il était certain que cet échange de mots s'était terminé par: *«Je ne veux pas que l'on me parle comme ça, surtout que je ne le mérite pas! Après tout ce que j'ai fait pour toi»* C'était sa façon instinctive d'avoir le dernier mot.

Ses pensées revinrent à l'allusion à son père. C'était étrange comme elle avait commencé à le comparer à son père, après le divorce. Curieusement, il semblait que tous ses défauts lui venaient du côté paternel, et les quelques rares qualités qu'il possédait lui venaient de sa mère. Le divorce. La rupture définitive. Il avait cherché les mots dans le dictionnaire car personne ne voulait lui expliquer ce qu'ils voulaient dire. Ça ne l'avait pas aidé, mais il avait demandé aux élèves à l'école.

Nul ne pouvait préciser tout à fait ce que signifiait «définitive» – mais puisque son père vivait avec quelqu'un d'autre maintenant, il y avait peu de chances que sa mère le reprenne. Il semblait qu'aucune mère ne pouvait comprendre comment un père pouvait faire cela.

Il savait que ses parents disaient toujours qu'ils ne se comprenaient pas, et cela remontait à bien avant le divorce. Il y avait donc très peu d'espoir maintenant.

Il s'aperçut qu'il ne connaissait aucun couple qui semblait se comprendre ou qui donnait du moins l'impression qu'il prenait le temps d'essayer. Pourtant, bizarrement, tous les gens qu'il connaissait faisaient toujours des comparaisons et se jugeaient les uns les autres. Il reconnut qu'il le faisait lui-même.

Son sentiment à l'égard des autres était fondé sur ce qu'il pensait qu'ils devraient être et ce qu'ils devraient faire. D'ailleurs, la plupart de ses conversations portaient sur la justification de ces pensées et de ces opinions. Ses idées sur ce que devrait être la vie étaient peut-être fausses. Sûrement, même s'il n'avait pas toujours eu raison, il n'avait pas eu tort très souvent?

Il commençait maintenant à se sentir un peu mal à l'aise à cause du fonctionnement de son esprit. Si, comme l'avait dit la voix, nous ne sommes pas conscients de nos idées fausses, c'est que nous sommes faux et que nous ne sommes pas nous-mêmes, donc nous ne sommes pas en paix avec nous-mêmes. En somme, avait-il jamais été en paix avec lui-même?

De toute évidence, il avait toujours cherché quelque chose, mais il n'avait jamais découvert précisément ce que c'était. À certains moments, il s'était senti très sûr de quelque chose, puis, plus tard, sa certitude avait quelque peu chancelé. Toute sa vie durant ou presque, il s'était soit comparé avec ce que les autres voulaient, ou on l'avait comparé avec ce que les autres voulaient. La confusion suscitait en lui des questions et la panique commença à envahir son raisonnement. Où était la voix?

«Il faut que je sache, pouvez-vous me répondre? Quelqu'un peut-il vraiment jamais comprendre qui il est?»

«Il existe plusieurs rôles différents dans la vie qui constituent le *"moi"* d'un individu», répondit la voix immédiatement, «ils se présentent tous sous diverses facettes de la gêne. Le vrai moi, qui est une unité complète en soi, n'a nul besoin de timidité. Peu lui importe d'impressionner, il se contente simplement d'exprimer. Ce que tu appelles *toi-même* n'est pas toi. Tu n'es pas ton corps ni ta race ni ta culture, tu n'es pas ton intelligence ni tes émotions, tu n'es pas ton cerveau ni ton nom.

«Tu es Esprit Divin, Pur Potentiel, et pourtant ton esprit conditionné ne veut pas que sa fausse sécurité soit menacée par ton *vrai moi unifié*. Donc, afin de t'empêcher de te connaître toi-même, il s'est façonné des masques, de nombreux *"moi"*. Chaque fois que tu penses *"je" ou "moi"*, cette pensée est ensuite remplacée par un différent *moi* qui, à son tour, n'a aucun pouvoir sur le prochain *"moi"*.

«Le *moi* qui déclare que tu vas te lever tôt le matin n'est pas le même *moi* qui existe le matin et, en tant que tel, il refuse de coopérer. Chacun des *moi*, de ce *moi désuni*, est aux commandes. Avec un si grand nombre de "généraux" peut-on s'étonner que la plupart des gens perdent la bataille en cherchant à comprendre qui ils sont?»

L'homme réfléchit au nombre de fois où il avait changé d'avis au sujet des choses, et particulièrement des gens. Tel un caméléon, ses opinions s'étaient modifiées pour s'adapter à la situation.

«Le *moi* qui décide de prendre le temps d'examiner ce qui est vraiment important dans ta vie promet de commencer le soir même. Cependant, le *moi* du "soir" aura peut-être une autre opinion. Ce dernier estimera que l'évaluation personnelle est un sujet beaucoup trop important pour s'en occuper maintenant et choisira donc de remettre cette tâche au week-end. À son tour, le *moi* du «week-end», à qui la tâche a été déléguée, a échafaudé d'autres plans. Après tout, comment peut-on jouir d'un repos bien mérité en faisant quelque chose d'aussi important?

«Ce *moi*-là déléguera facilement des choses au futur *moi*, qui sera aux commandes durant tes vacances. Chacun des *moi* ne se préoccupe pas de ce qui a été décidé antérieurement lorsqu'il endosse ce "pouvoir", car les "gouvernements" précédents n'ont aucune juridiction.»

L'homme se mit à songer sérieusement au nombre de fois où il avait été incapable de tenir ses promesses, même celles qu'il s'était faites à lui-même et qui étaient pourtant particulièrement importantes car elles concernaient ce qu'il avait toujours voulu faire sans jamais en tenir vraiment compte. Il ne s'était pas attelé à la tâche. C'était tellement laborieux de s'évaluer soi-même. Il était plus facile et, croyait-il, tout aussi efficace de demander aux autres ce qu'*ils* pensaient qu'il devrait faire. De toute façon, il les avait conseillés volontiers lui-même quand ils lui avaient demandé de le faire pour eux.

«Penses-tu qu'il soit possible d'être sincère avec toi-même nanti de tous ces différents *"moi"?» reprit la voix. Il n'y a pas de place pour la sincérité dans une telle pluralité, donc la réponse ne peut être que négative.*

«Si tu ne peux pas être sincère avec toi-même, comme est-ce possible d'être sincère avec les autres? Ce n'est pas possible. Par conséquent, la tendance est d'être critique à l'égard des autres, ce qui est le produit de la pluralité développée par ton esprit conditionné. Quand tu es dans un état d'esprit unifié, alors tu es vraiment *sincère* avec toi-même. C'est un niveau de conscience qui n'exige aucune forme de justification. À ce niveau, on a le courage de ses convictions.

«On ne peut atteindre ce niveau de conscience qu'en sachant qui on est, ce qui est certainement possible, mais uniquement en travaillant sur soi-même. Cela n'est pas facile mais tu as reçu cette dynamique de l'âme qui peut t'aider et te guider. Les gens se rendent les choses difficiles simplement parce qu'ils refusent toujours d'écouter ce guide.

«Le dialogue constant des autres qui, selon leurs opinions critiques – *savent mieux* que toi – combiné avec le bavardage incessant des "*moi*" raisonneurs, à qui notre esprit conditionné donne toute latitude, étouffent complètement ce guide.

«En ces rares occasions où il arrive à se faire entendre, il n'est pas reconnu et son message précieux est rejeté comme une absurdité.»

L'homme se sentit encore plus alarmé. Il prenait conscience que plusieurs occasions «importantes» s'étaient présentées dans sa vie mais que sa première, sa seconde et sa troisième opinions lui avaient tellement embrouillé l'esprit qu'il avait alors été incapable de prendre une décision. Il lui arrivait fréquemment d'en arriver à une décision finale seulement après avoir «essayé» ses diverses opinions auprès des amis, pour finir par choisir celle qu'on lui désignait comme la meilleure.

À y repenser maintenant, il se rendait compte qu'il avait été partisan du moindre effort. Il avait régulièrement évité de se laisser séduire par toutes les douces voix intérieures. L'expérience lui avait appris à le regretter. Mais, à ces moments-là, il se réconfortait en se disant qu'il lui était malaisé de refuser les suggestions qu'on lui proposait, et plus particulièrement celles de sa famille. Une famille qui prônait qu'il ne fallait jamais penser à soi-même d'abord, mais plutôt aux autres. Il ne fallait pas chercher à se faire plaisir, c'était mal.

Pourtant, ces décisions empruntées aux autres, qui étaient considérées comme les meilleures par ses proches, l'avaient empêché de faire ce qu'il avait vraiment pensé qu'il aurait dû faire à ce moment-là. Chose certaine, s'il avait pensé d'abord à lui-même, il aurait trouvé les solutions, quelles qu'*elles* soient. Et il aurait ainsi sans doute mûri en même temps que tous les autres.

«Avoir le courage de ses propres convictions. C'est là où vous voulez en venir. Vivre la vie qu'on est censé vivre, prendre ses propres décisions au sujet de qui l'on est, et de ce que l'on veut devenir, ne pas se soumettre passivement à ce que les autres pensent qui est mieux pour vous? Écouter son propre cœur.» Ses paroles étaient empreintes d'amertume, mais cette amertume était peu à peu engloutie par une émotion plus forte: le chagrin.

«Pourquoi est-ce si difficile d'être simplement *soi-même* et pourquoi ai-je passé ma vie à faire plaisir aux autres – est-ce que tout le monde fait la même chose? Est-ce ainsi que l'on doit être? Sûrement, si la réponse la plus simple est de se *connaître*, pourquoi est-ce tellement difficile à faire? J'ai toujours cru que j'étais moi-même. J'ai peut-être critiqué les autres, mais est-ce que ce n'est pas le cas de tout le monde? Comment puis-je les conseiller autrement? Que devais-je faire?»

Le torrent de questions que l'homme assenait à la voix semblait le bombarder dans sa propre tête. Mais il lutta comme un soldat pris au piège d'une tranchée faite d'éléments inconnus. Puis, mû par le courage du désespoir, il commença à scruter l'image qui se formait sous ses yeux.

«C'est sûr qu'elle allait dire ça, n'est-ce pas?», répliqua son ami. *«À quoi t'attendais-tu? Si j'étais toi je ferais attention, sinon elle va mettre un terme à tout cela. Le problème avec toi c'est que tu es trop sérieux.»*

Extérieurement, le jeune homme haussa les épaules et fit mine de lancer un missile imaginaire en direction du monde. Intérieurement, il commença à lutter contre la panique et l'antagonisme qui l'envahissaient. Il était en proie à la panique, car ce n'est pas ce qu'il désirait entendre. Il ne voulait vraiment pas qu'on en finisse avec lui. Et son antagonisme grandissait, car les paroles de son ami lui semblaient justes, et c'était toujours comme ça. Ils rentraient souvent de l'école ensemble, échangeant des nouvelles. Aujourd'hui, ils parlaient de sa conversation avec sa nouvelle petite amie.

«Oh non, elle n'en a pas fini avec moi!

– *Oh oui, elle en a fini avec toi!»*, rétorqua son ami en parodiant sa voix, puis il ajouta sur un ton plus pensif: *«Oui, absolument, tu es beaucoup trop intense.*

– Mais tu m'as dit la semaine dernière qu'il fallait que je sois sérieux avec elle. De lui dire que si je lui plaisais vraiment il ne fallait pas qu'elle parle aux autres garçons comme elle le fait.»

Il avait suivi ce conseil, et maintenant, elle l'accusait d'être trop possessif!

«Tu as dit que c'est ce que tu ferais, qu'il fallait lui montrer qui mène. Maintenant tu me dis à quoi t'attends-tu! Quel bon ami tu es», ajouta-t-il, *«je crois qu'elle te plaît et tout ça fait partie d'un plan pour que tu puisses sortir avec elle.*

– *C'est stupide!»*, dit son ami en élevant la voix pour prendre sa propre défense. *«Elle ne me plaît pas du tout, je ne sortirais pas avec elle même si tu me payais. Regarde-moi les gens qu'elle fréquente. Elle essaie simplement de leur montrer qu'elle doit avoir tous les garçons à sa botte. C'est une dominatrice et tu n'es qu'un pion dans son jeu. Pas dans le mien.»*

Le jeune homme était furieux qu'une fois de plus son ami semblait avoir raison. Il n'avait pas une idée très claire de ce qu'il devait faire et il en était terriblement conscient. Il ne voulait pas mettre fin à sa relation avec elle – il ne pouvait pas le faire – et pourtant son comportement l'irritait vraiment. Pourquoi n'éprouvait-elle pas les mêmes sentiments que lui? Si seulement il pouvait la rendre jalouse lorsqu'il regardait une autre fille, il se sentirait plus en sécurité, mais ça ne semblait lui faire aucun effet.

Il avait même essayé de lui parler de ses anciennes petites amies et elle lui avait énuméré une formidable liste de ses anciens petits amis. Il ne pouvait pas le supporter! Elle le *dominait*. En fait, elle se dominait elle-même. C'est pour ça qu'elle l'avait attiré quelques semaines auparavant – elle savait exactement ce qu'elle faisait. Puis, juste au moment où il lui avait fait part de ses sentiments, elle ne semblait plus intéressée.

«Qu'est-ce que je devrais faire?», demanda-t-il, mais son ami était parti.

L'homme avait observé la scène et avait revu comment il s'était comporté. Il n'était jamais confiant en ses propres décisions et cherchait toujours à justifier ses actes. Une partie de cette justification semblait renfermer des critiques qu'il faisait des gens, particulièrement ceux qui, croyait-il, l'avaient blessé.

«Tu es le seul qui aies le pouvoir de te rendre malheureux», lui dit la voix. «Au fond, ce ne sont pas les actes des autres qui peuvent te contrôler, mais ta façon de percevoir ces actes. Donc, chaque fois que tu réagis par rapport à quelqu'un, tu lui donnes le contrôle sur toi-même. Inversement, chaque fois que tu réponds, tu te contrôles toi-même. C'est toi qui fais ce choix.

– Je ne savais même pas qu'il y avait une différence, et encore moins un choix», dit l'homme. «La raison est-elle que je ne connaissais pas le *vrai* moi dont vous avez parlé?

– L'humanité est unique en son genre seulement parce qu'elle a le pouvoir de choisir, et c'est très bien car il y a *toujours* un choix. Cependant, tu n'exerces aucun pouvoir sur les résultats. Que tu choisisses d'être le *vrai* toi ou le toi *conditionné*, tu subiras inévitablement les conséquences de ta vie. C'est là une des lois immuables de l'existence qui s'appliquent même si tu les ignores.

– Toute ma vie s'est passée avec mon moi conditionné, n'est-ce pas?

– Ton esprit conditionné est constamment influencé par les circonstances dans lesquelles tu te trouves, ainsi que par tous les divers rôles joués par tes différents moi», confirma la voix. «Sans te rendre compte que tu es influencé par ton monde extérieur, tu cherches à contrôler, à manipuler et à organiser les situations afin de te rassurer. Par conséquent, tes actes sont des réactions que tu crois nécessaires afin d'empêcher le monde extérieur de te détruire.

«Parfois, lorsque tout allait comme tu le voulais, exactement comme tu le voulais, tu ne croyais pas que cela allait durer parce que *quelque chose* que tu ne pouvais pas contrôler allait tout gâcher. Par conséquent, dans tes relations avec les autres tu étais plus conscient de cette vulnérabilité, qui mettait en péril ton faux sentiment de sécurité, et tu réagissais en conséquence afin de te rassurer.

«Tu as agi de façon à conserver ton statu quo dans le monde extérieur – une situation qui, croyais-tu, te permettait tout juste de te protéger, mais ces actes ne t'ont pas permis de développer le potentiel illimité qui est enfermé en toi. Par exemple, quelles que soient les sommes que tu aies gagnées dans ta vie, et elles étaient de plus en plus importantes, ce n'était jamais assez pour toi, n'est-ce pas?

– *Ce n'est pas le salaire que j'espérais, mais c'est quand même le chiffre auquel je m'attendais.»* Sa mère et sa sœur l'écoutaient tandis qu'il leur racontait le dénouement de son entrevue: une offre d'emploi.

– *Ça suffit pour s'en sortir»*, disait sa sœur, *«au moins tu as eu la chance de décrocher un poste très rapidement. Moi j'ai dû attendre un temps fou avant de trouver quelque chose.*

– *Oui, je le sais, mais je ne suis pas sûr que c'est vraiment ce que je veux faire.»*

Sa mère, qui semblait épuisée par son dernier emploi à temps partiel, intervint: *«Tu ne sembles jamais satisfait quoi que tu obtiennes! Si tu veux mon opinion, c'est un travail à plein temps et c'est une très bonne chose.»* Du regard, elle le mit au défi de contester ces faits, puis elle continua: *«On ne peut pas en dire autant de mon emploi. En tout cas, ce sera une bonne expérience pour toi.*

– *Oui, je sais ça aussi»*, admit-il, *«l'orienteur professionnel et celui qui recevait les candidats ont tous deux dit que c'était un bon début pour quelqu'un dans ma situation, et il y a de bonnes possibilités d'avancement, si je persiste et si je travaille dur. Ce n'est pas exactement ce que je veux faire, mais si le salaire était plus élevé, ça ne me dérangerait pas tellement.»*

Sa mère revint à la charge: *«Au moins, ça t'apporte la sécurité, ce qui est la chose principale. C'est un bon début, comme ils disent, et il faut bien que tu commences quelque part.»* Puis elle ajouta: *«Que voulaient-ils dire par quelqu'un dans ta situation?*

– *Je ne sais pas, mais je crois qu'ils parlaient de mes qualifications professionnelles limitées.*

– *À qui la faute?»*, dit sa mère en élevant légèrement la voix. *«Certainement pas la mienne!»* Puis sa voix monta encore d'un ton: *«Comment? Je t'ai donné"»*

– *Je n'ai pas dit que c'était ta faute»*, interrompit l'homme, en insistant sur le "pas". *«C'était plutôt les enseignants. Ils ne semblaient jamais avoir le temps d'enseigner. Ils étaient toujours trop occupés à nous dire quelle perte de temps nous représentions tous. De toute façon, je ne me plains pas. Je suis content d'avoir ce travail, bien sûr que je le suis. C'est seulement...»*

– *...que ce n'est pas ce que tu voulais faire!»* La voix de sa sœur termina sa phrase. *«Tu ne dis jamais rien d'autre»*, continua-t-elle. *«Eh bien, je ne sais pas ce que tu en penses maman, mais je meurs d'envie de savoir quelle est cette chose merveilleuse que tu veux faire? Si tu connais la réponse!»*

C'était justement là le problème, l'homme se rendit compte qu'il ne l'avait jamais su. Mais il demeurait convaincu cependant qu'il reconnaîtrait ce qu'il voulait, lorsqu'il l'aurait trouvé.

«Si tu ne sais pas où tu vas», lui dit la voix en le tirant de ses pensées, «comment sauras-tu que tu y es arrivé?»

Une fois de plus, l'homme tenta d'éviter de répondre. «Écoutez, il y a toujours quelque chose qui se présente qu'on *espère* qui fera l'affaire, et, à ce moment-là, sûrement on sait que c'est ce qu'on cherchait.

– L'espoir est important, car sans espoir le rêve de la vie serait vide de sens», répliqua la voix. «C'est l'élément intangible qui te promet que tu feras face à toutes les difficultés, mais l'espoir n'a pas de pouvoir s'il n'y a pas de but pour le motiver. Tes espoirs et ton imagination sont étroitement liés et sont tous les deux à ta disposition pour te permettre de réaliser tes rêves.

«Malheureusement, un trop grand nombre de gens s'en servent *pour* se débarrasser de leurs rêves. Lorsque tes espoirs et tes attentes sont ancrés dans la conviction profonde de ta valeur personnelle, ils sont forts. Mais quand tes espoirs sont fondés uniquement sur le désir que les choses s'améliorent, ils sont faibles.»

L'homme se rappela ô combien! il avait souhaité de pouvoir améliorer son sort. Presque tous les matins, en se regardant dans le miroir pour se raser, il avait espéré que les choses s'améliorent pour lui au travail, qu'on lui fasse des compliments du moins, mais il ne s'y était jamais vraiment *attendu*.

«Attends-toi au pire et espère le mieux, telle est ma devise», disait son oncle qui dispensait toujours des conseils lors des réunions familiales. C'était le frère aîné de son père et il avait tout un répertoire de phrases de ce genre.

L'ennui c'est que, s'il était honnête avec lui-même, il lui fallait bien admettre qu'en général il était d'accord avec lui. «Pourquoi utilisaient-ils tous des clichés le moment venu de donner des conseils?», pensa-t-il. Quelle en était l'origine? Ça ne correspondait certainement pas à ce qu'il entendait maintenant.

À certains moments dans sa vie, il avait nourri de très grandes attentes puis, tôt ou tard, quelqu'un venait lui dire: «N'attends pas trop de toi-même» ou «Ne fonde pas trop d'espoirs». Il ne pouvait pas s'empêcher de faire ce que les autres lui disaient, et cela était aussi bien car la réalité leur donnait raison.

«Notre imagination, un de nos plus grands dons», continua la voix, «est tellement affectée par nos croyances conditionnées qu'elle restreint notre croissance comme une dictatrice impitoyable. Elle nous force presque à ne penser qu'aux choses que nous ne *voulons pas* voir arriver plutôt qu'à celles que nous *voulons* voir se réaliser. Docilement, nos attentes s'adaptent en conséquence. À son tour, un autre de nos dons, notre désir naturel, est freiné et utilisé pour survivre plutôt que pour s'épanouir, pour s'en sortir plutôt que pour évoluer.

– Le désir est un don?», demanda l'homme surpris. «Mais je croyais qu'il ne fallait pas vraiment avoir de désirs, que c'était un péché, qu'il fallait les contrôler.

– Le désir signifie en réalité "du père", c'est le don que Dieu nous a donné afin que nous *puissions* nous développer dans tout ce qui est prévu pour nous. Sans le désir, tu ne pourrais pas te développer, c'est le point de départ de toutes les réalisations. Pourtant, cela n'a pas empêché presque toutes les religions d'essayer d'y renoncer. Mais il n'est pas du tout honteux d'essayer d'acquérir la richesse et des possessions matérielles. C'est seulement quand on essaie de satisfaire ses besoins spirituels par ces choses *extérieures*, ce qu'elles ne peuvent pas faire, que la vie devient un dilemme.

«J'ai éprouvé une certaine honte parfois», dit l'homme tout doucement, «car je désirais tant de choses. Je croyais que je ne les méritais pas, que ce n'était pas mon destin d'avoir ce que je voulais dans la vie. Une fois, j'ai même pensé que Dieu ne tenait pas à ce que j'obtienne ce que je désirais car j'en voulais *tant*.»

«Le pouvoir de Dieu de te donner n'est limité que par ta propre capacité de recevoir», répondit la voix. «L'intensité de ton désir te permet de mesurer à quel point tu es prêt à *recevoir* ce que Dieu veut te donner. Lorsque tes croyances conditionnées élèvent des barrières pour bloquer tes désirs, tes luttes et tes critiques créent un conflit intérieur.

– En me culpabilisant parce que je me suis permis d'avoir des désirs?»

L'homme connaissait parfaitement la culpabilité qui suivait le désir. Son plus grand souhait avait été de s'acheter une maisonnette à la campagne. Il avait passé des mois à chercher exactement celle qu'il voulait. C'était tout ce qu'il avait jamais imaginé être une maison parfaite.

Ensuite il y eut les aspirations, les efforts, le travail, l'espoir fou que l'hypothèque soit acceptée. Et puis, quand vint le moment de signer, il s'y était rendu en voiture pour la regarder une dernière fois avant qu'elle ne devienne sa propriété. Assis dans son auto, il avait joui de sa beauté, du sentiment de satisfaction de savoir qu'elle lui appartiendrait bientôt.

Puis, des pensées tatillonnes, de brefs moments d'incertitude, commencèrent à intervenir dans ses plans. Lentement, il se laissa accabler par un sentiment d'indignité. «Pourquoi *mériterais-je* de posséder cette maison? Personne dans ma famille n'a jamais vécu dans une maison aussi belle que celle-ci. D'autres en sont bien davantage dignes que moi. Sa mère avait travaillé tellement dur toute sa vie, elle méritait certainement plus cette maison que lui?» Puis, s'étant convaincu qu'il ne devait pas l'acheter, il n'y avait jamais donné suite. Quelque chose avait retardé l'acceptation de l'hypothèque et un acheteur plus décidé l'avait emporté.

«Oui», soupira-t-il, «la culpabilité bloque certainement les désirs, mais parfois n'est-ce pas nécessaire pour que certains désirs ne se réalisent pas?

– Il est important d'interpréter comment et pourquoi il faudrait qu'ils se réalisent», admit la voix. «La plupart des gens luttent pour obtenir ce qu'ils désirent, mais ce qui leur cause tant de douleurs, c'est de voir leur volonté dominer, saisir, retenir ou posséder. Ils s'attachent à leurs accomplissements, à leurs possessions ou à leur situation en croyant à tort qu'ils seront comblés.

«Ton âme, qui réside dans ton monde intérieur, comprend que ce désir n'est qu'un chemin vers la plénitude. Elle ne s'attache pas aux signes extérieurs de satisfaction désirée par ces niveaux primaires de conscience, car elle sait que ce chemin continue au-delà. Ton âme accepte de devoir d'abord passer par les désirs de sécurité, de plaisir et de contrôle avant de pouvoir ressentir les désirs d'unité, de prise de conscience et de ce qu'il y a au-delà.

«Cependant, ton esprit conditionné refuse d'accepter le détachement à l'égard de ces éléments extérieurs, qu'il perçoit comme essentiels à sa sécurité, à son plaisir et à son contrôle. Donc, il te poussera à chercher des satisfactions par l'intermédiaire d'un plus grand nombre de possessions et de plus d'argent, ou bien en attirant l'attention par le biais de la sexualité, en faisant remarquer ta présence, ou par le pouvoir que donne le rang social, la situation et le contrôle. Comme l'a démontré l'expérience, l'attachement à ces expressions du désir peut devenir de plus en plus malsain.

«Il est important de comprendre la nature de tes désirs et de reconnaître qu'ils sont tous censés se réaliser, c'est pourquoi tu les ressens. Tu ne les aurais pas si tu n'avais pas reçu la capacité de les réaliser. Si tu crois que tu ne les mérites pas, alors cette façon de te juger les empêchera de suivre leur cours naturel.

«Dieu nous a déjà donné un monde d'abondance qui foisonne de possibilités et il veut satisfaire tes désirs afin que tu puisses évoluer. Imagine que chacun de tes désirs ait une signification spirituelle et qu'ils te permettent de franchir une autre étape sur le chemin de la réalisation de tes potentialités.

«Il ne faut pas permettre à tes désirs, à tes espoirs, à tes attentes de se laisser déformer par une imagination craintive qui t'empêche de réaliser ton potentiel. Pourtant, quand nous permettons aux autres de penser pour nous, c'est exactement ce qui se produit. Nous devenons de moins en moins sûrs de nous-mêmes, de ce que nous voulons *être* et *devenir*. Nous pensons uniquement à ce que nous voulons *faire* et *avoir* et nous imaginons la terrible insécurité qui nous guette si nous sommes incapables d'obtenir ce que nous désirons.»

L'homme se rappela qu'il ne se sentait jamais en sécurité s'il n'avait pas obtenu ce qu'il avait désiré. Donc, il lui fallait faire bonne figure, conduire une voiture présentable, occuper un bon emploi et un rang social prestigieux.

Il avait même dû mentir pour créer l'impression voulue.

«Oh! bonjour papa», dit-il en soulevant le combiné.

– Salut fiston, comment vas-tu? Et qu'est-ce qui se passe avec cette nouvelle promotion dont tu m'a parlé?

– *Oh, je t'ai parlé de ça? Eh bien, c'est...*

– Je savais que tu l'obtiendrais! Tu vois, même si je n'étais pas à tes côtés pour te conseiller autant que j'aurais voulu le faire, tu t'en es quand même très bien tiré. Je suis tellement fier de toi. Dis-moi, est-ce que ce nouveau poste s'accompagne d'une voiture de fonction et de tous les avantages que tu espérais?

– Eh bien, on est encore en train d'examiner certains détails. Écoute, papa, je ne peux pas te parler maintenant. Il faut que je m'en aille, on m'attend à une réunion.»

– D'accord, d'accord, je sais... cadre supérieur occupé maintenant, hein? Mais donne-moi un coup de fil lorsque tu pourras. Hé, peut-être qu'on pourrait se rencontrer pour l'un des super déjeuners que tu es toujours en train d'organiser et bavarder à notre aise?

– Oui, papa, ce serait sympa... Je te donnerai un coup de fil. Au revoir.»

À cause de sa faiblesse de caractère, il avait vécu au-dessus de ses moyens. Plutôt que de passer son temps à réfléchir à *la façon* dont il pouvait changer la situation, il lui semblait maintenant qu'il avait passé tout son temps à s'inquiéter de ce qui pourrait lui arriver s'il était incapable de régler ses factures ou de payer son hypothèque.

En effet, son imagination avait créé en lui le désir de survivre. Ses attentes avaient toujours porté sur la façon de s'en sortir et *jamais* sur la façon de progresser. Il avait cru qu'il travaillait dans son intérêt. En réalité, il avait travaillé contre ses intérêts!

«Pourquoi est-ce que j'ai permis à mon imagination de nuire à mes intérêts?»

«Cette partie de ton être qui recherche la sécurité par le biais d'une réalité extérieure est ton moi, ton ego», reprit la voix. «Ton imagination régit ton monde personnel et tu as permis à ton moi de te contrôler totalement. Donc, puisque ton moi te dicte tes pensées, tu lui as abandonné tous tes sentiments et tes gestes.

– Mais est-ce que d'une manière quelconque mon ego pouvait ne pas être moi?», demanda l'homme.

– C'était une partie consciente et pensante de toi, oui. Mais ce moi se percevait comme une partie de toi qui doit se protéger de plus en plus. Il a fait cela en s'attachant plutôt aux pensées qui, croyait-il, lui donneraient un sentiment d'importance.

– Que voulez-vous dire par s'*attacher*?

– Des myriades de pensées défilent dans notre esprit tous les jours. Elles sont toutes sans conséquence sauf si nous leur attribuons une signification. Ceci se fait en ne permettant pas à certaines pensées de s'estomper et de disparaître. Plus on réfléchit à quelque chose, plus on lui accorde de sens. Une plus grande signification donne à l'idée une plus grande importance jusqu'au moment où, quelle que soit la pensée, il faut la mettre à exécution sans quoi le moi se sent menacé.

«Cette insécurité te poussera à concentrer toute ton énergie pour obtenir ce que tu perçois maintenant comme vraiment *important*. Elle peut provenir d'un commentaire qui selon toi menace tes compétences, ta situation ou ton rang social. Ce pourrait être ta propre perception de toi-même. Ce pourrait être ton besoin de posséder une voiture, une maison, des vêtements plus luxueux, ou de passer des vacances plus prestigieuses afin de démontrer ta réussite aux autres.

«Le vrai succès dans la vie commence par la discipline du moi. Elle se produit lorsque tu *abandonnes* le besoin de faire des choses pour impressionner les autres, et que tu les accomplis uniquement parce que tu as choisi de le faire. Lorsque tes décisions servent à flatter bassement ce que ton moi pense être la sécurité, elles *semblent* servir tes intérêts. Elles le font peut-être à court terme, mais à long terme, tu travailles *contre* toi-même.»

L'homme se rappela un grand nombre de ses actions qui n'avaient pour but que «de faire bonne figure devant les autres». Ce que les autres pensaient de lui avait toujours beaucoup compté et, particulièrement lorsqu'il était plus jeune, il avait toujours voulu se mettre en vedette. Il pouvait se rappeler sa réaction lorsqu'il avait obtenu la promotion tant attendue.

Au volant de sa nouvelle voiture, il avait mis la radio à tue-tête et ouvert les fenêtres, tandis que le soleil dardait ses rayons sur le capot flambant neuf. Il avait salué de la main les employés en sortant du stationnement. Il leur avait crié la phrase rituelle: *«Salut, passez un bon week-end, à lundi!»*, mais en réalité il avait savouré les regards admiratifs que lui avaient lancés quelques-uns d'entre eux. Les regards envieux de certains hommes de sa division lui avaient fait plaisir. Oui! Il y était arrivé! Il avait travaillé dans ce but et maintenant il avait prouvé ses capacités aux autres et à lui-même! Il chantait à pleine voix avec la radio. Il n'était plus une personne ordinaire, mais un homme différent, un homme qui avait réussi et qui le montrait au monde.

Puis, il se rappela qu'il s'était arrêté pour proposer à un ami de l'accompagner. Au début, il avait ressenti un plaisir extrême de partager ce moment spécial avec quelqu'un. Lentement, après avoir exprimé sa gratitude pour ce geste inattendu, ce compagnon de bar et soi-disant copain, s'arrangea pour lui faire remarquer que ce n'était qu'une voiture de fonction, et que ce n'était même pas un modèle de luxe par surcroît.

«Ils ne doivent pas avoir une excellente opinion de toi», dit-il, sarcastique. *«C'est probablement à cause des compressions dans ton entreprise – profites-en tant que tu peux le faire!»*

Il avait souri et fait semblant de bien accepter la taquinerie, mais intérieurement, elle était de nouveau là, la panique! Il savait que son ami ne le pensait pas vraiment, mais il ne pouvait pas s'empêcher de voir le risque. Il avait essayé de se rassurer, après avoir déposé son ami chez lui. Non! il n'allait pas la perdre! Il n'y avait pas de raison, il avait travaillé assez dur pour cela. Mais son ami n'avait pas tort. Pourquoi ne lui avait-on pas donné une voiture de luxe? Son collègue en avait reçu une et il était pourtant dans la boîte depuis moins longtemps que lui.

Le temps d'arriver chez lui, il était plein de ressentiment. Ils ne pensaient peut-être pas grand-chose de lui après tout. Ces regards qu'il avait surpris à son départ du bureau, n'étaient peut-être en réalité que des regards railleurs des filles, et même des œillades amusées des hommes. Ces gens se moquaient-ils de lui? Sûrement pas?

Il se souvint avoir gardé cette rancœur durant un certain temps, jusqu'à l'après-midi où le directeur de l'exploitation lui avait demandé quel était le problème. Il avait fallu toute la patience et l'habileté du directeur pour lui faire avouer finalement pourquoi il était de cette humeur.

Quand il admit avoir le sentiment qu'on avait agi avec discrimination à son égard, car son collègue avait reçu un modèle de voiture supérieur, il se souvint de la surprise manifestée par le directeur: «*Mais tu aurais pu en avoir une aussi. Tu ne savais pas que tu pouvais choisir d'en payer une partie et avoir un modèle de luxe? Ton collègue a choisi de le faire parce qu'il a une famille.*»

Sa confusion avait alors été si grande qu'elle était douloureuse, mais il fut rapidement submergé par une terrible colère: personne n'avait daigné lui faire connaître cette option.

L'homme reconnaissait maintenant qu'il s'était infligé cette blessure lui-même. C'était son moi blessé qui lui avait donné ce sentiment de grande insécurité. Il s'était imposé lui-même toute cette douleur à cause de quelque chose qui aurait dû lui procurer un immense plaisir. À cette époque-là, son imagination s'était déchaînée durant des semaines, et ne lui offrait toujours que les pensées les plus sombres.

«Ton moi n'a pas conscience de fonctionner à ton détriment, en outre il pense qu'il te protège», dit la voix en interrompant une fois de plus le fil de ses pensées.

– Mais c'est certainement mon pire ennemi?», dit l'homme avec exaspération.

– Seulement lorsqu'on lui permet de devenir prétentieux, pour ainsi dire. Lorsque tu prends conscience de ton ego et que tu reconnais ses exigences fallacieuses tu peux t'en servir comme d'un allié plutôt qu'un ennemi.

– Mais comment peut-on en prendre conscience lorsqu'il semble avoir tant de pouvoir sur nous?»

La voix attendit.

«Je regrette, mais étant donné la situation actuelle il faut prendre certaines mesures draconiennes.»

L'homme était atterré. Avis de licenciement? Il avait cessé d'écouter toutes les excuses – ça lui était égal. Des pensées horrifiantes lui traversaient l'esprit. Qu'allait-il faire maintenant? Comment allait-il annoncer la nouvelle à sa fiancée? Que penseraient sa famille et ses amis? Où allait-il trouver de l'argent? Mon Dieu, et la nouvelle maison? Leurs deux salaires étaient nécessaires pour payer l'hypothèque! Son horreur vira à la colère. Une énorme colère désespérée, qu'il dirigea vers le directeur qui venait de lui annoncer la nouvelle.

«C'est injuste!» Il savait qu'il hurlait, et que ses collègues l'entendraient, mais il ne pouvait pas s'en empêcher. *«Vous m'avez promis un bon avenir si je travaillais dur. Eh bien j'ai travaillé d'arrache-pied! Vraiment très fort. Durant cinq maudites années et pourquoi? Rien qu'un: "Je regrette". Eh bien, est-ce que ces regrets vont m'aider à faire face à mes obligations?*

– *Il te reste plus que ça»*, commença le directeur, l'air malheureux d'avoir passé toute une journée à faire une chose qui le rendait malade. De toute évidence, il se sentait impuissant car tout ce qu'il pouvait faire, c'était de tenter de consoler ces gens, dont certains avaient collaboré étroitement avec lui durant plusieurs années.

«Tu as ton expérience, et nous t'avons bien formé pour ce que tu fais. Il y aura aussi une indemnité de licenciement qui va t'aider. Et naturellement, la compagnie s'est arrangée pour te faire donner des conseils gratuitement pour t'aider à trouver un autre emploi et tu recevras une bonne lettre de recommandation.»

L'homme se rappela que sa colère l'avait abandonné, et qu'il avait commencé à plaider et à demander s'il pouvait faire quelque chose. Mais il savait bien que non et sa colère avait flambé de nouveau lorsqu'il s'était rendu compte qu'il allait même être privé de son moyen de transport à la fin du mois.

Après quatre semaines d'entrevues improductives il avait perdu le peu de confiance qui lui restait. Il avait les traits tirés et l'air épuisé à force d'essayer de cacher aux autres que les choses allaient mal. Il avait commencé à détester les inévitables questions que les autres semblaient toujours poser au cours des conversations. Au début, si on lui demandait ce qu'il faisait, il répondait qu'on venait de le traiter d'une façon très injuste, qu'il avait fait partie du personnel excédentaire et que, pour le moment il cherchait d'autres possibilités de travail. Bien entendu, les gens étaient d'abord compatissants. Ils convenaient que c'était injuste. Ils lui proposaient des tas de suggestions sur ce qu'il devrait faire ou ne devrait pas faire.

Après un moment, les choses avaient changé et les gens semblaient gênés lorsqu'il leur disait qu'il était toujours au chômage. Puis, vint la pitié. Il s'imagina que les gens commençaient à l'éviter pour ne pas être contaminés par sa situation *«d'excédentaire»*.

Il souffrit aussi d'être obligé de se rendre à toutes les entrevues en utilisant les moyens de transport public. Il s'était senti humilié, plus particulièrement lorsqu'il avait dû demander de l'aide à un organisme d'assistance sociale pour l'aider à payer son hypothèque.

Oui, pensa l'homme, *son ego avait certainement été très malmené durant cette période de sa vie*. Il ne pensait qu'à une chose: retrouver tout ce qu'on lui avait injustement enlevé. Il avait eu peur, il se sentait perdu et dans une position critique. Parfois, il en voulait à presque tous les autres, avec leurs emplois et leurs mines apitoyées.

Il avait été offensé lorsqu'un individu plein de bonne volonté lui avait demandé: *«Qu'est-ce que vous aimeriez vraiment faire?»* et puis il avait suggéré que c'était peut-être l'occasion idéale de faire quelque chose de différent. *«Maintenant il est temps de tirer parti de cette situation»*, lui avait-il dit.

À ce moment-là, il avait répliqué qu'il était facile de parler ainsi quand on avait sa propre entreprise, car c'était le cas de la personne qui lui parlait. Et que pouvait-il connaître des sentiments de celui qui est considéré comme un employé superflu et qu'on a licencié?

Mais plus tard, chez lui, alors qu'il regardait la télévision d'un œil distrait, il avait repensé à tout cela et s'était dit que ce commentaire n'était peut-être pas si bête que ça, tout bien considéré. Peut-être devrait-il profiter de cette occasion pour réévaluer sa vie et se demander ce qu'il voulait vraiment faire?

«Même quand j'ai connu le malheur, je ne crois pas que j'ai pris conscience du fait que j'étais contrôlé par mon ego», dit-il à la voix. «Je ne pensais qu'à la façon dont j'allais faire face à l'avenir. J'avais l'occasion de dresser de nouveaux plans, mais je ne pouvais pas oublier qu'on m'avait trompé; et qu'il fallait que je retrouve ce que j'avais perdu. Je pensais à cela sans cesse. Si c'était mon moi, comme vous dites, qui me faisait souffrir, qu'est-ce que j'aurais dû faire différemment pour pouvoir le contrôler?

– En prenant conscience du moment *présent*», répondit la voix. Ton moi préfère vivre dans l'avenir, ou dans le passé, plutôt que dans le présent. Par exemple, il n'aime rien de mieux que de se souvenir du bon vieux temps ou à quel point il a souffert. Il fantasme sur l'année prochaine quand tout ira mieux, et il imagine comment il se sentira. Quand tu as utilisé toute ton énergie pour faire tout ça, il ne t'en reste plus pour vivre dans le moment présent, qui est là où se trouve la vie.

– Mais si prendre conscience signifie se rendre compte, je suis sûr que je me rendais compte de ce que je faisais à n'importe quel moment.

– La plupart des gens ne se rendent même pas compte qu'ils ne prennent pas conscience», dit la voix. «Préoccupés par la crainte de l'avenir, ou en proie à la culpabilité au sujet du passé, ils passent la plus grande partie de leur vie ailleurs que là où ils se trouvent. Ils se sentent coupables de n'être pas chez eux et de travailler tard au bureau, et ils s'inquiètent au sujet d'un rapport à finir lorsqu'ils sont chez eux. Cela ne s'appelle pas vivre dans l'ici et maintenant.»

L'homme réfléchit à des moments plus récents de sa vie. Ces innombrables week-ends où il avait emmené sa famille en promenade, mais durant lesquels il n'avait pas été vraiment présent avec eux. Il était là mais son esprit vagabondait ailleurs. Il avait des questions importantes à résoudre au travail et il trouvait difficile de les oublier.

Il repensa à une soirée durant laquelle il ne pouvait pas se souvenir d'une occasion particulière dont ses enfants parlaient. Il en avait discuté avec eux car il était certain qu'il avait été absent ce jour-là.

«Mais, papa, tu dois te rappeler! J'ai perdu ma nouvelle montre et tu l'as retrouvée derrière le siège du canapé!» Le regard de son fils se posa sur lui, incrédule parce que son père ne se souvenait pas clairement d'un événement qui avait été tellement important pour lui, puis rapidement frustré. *«Oh papa! Maman, dis-lui ce qui est arrivé, peut-être qu'alors il s'en souviendra!»* Il se rappelait que sa femme avait rétorqué, d'un ton assez coupant: "Il semble que dernièrement il se rend rarement compte des gens avec qui il se trouve et encore moins où il est".

«La plupart des gens», continua la voix, «ignorent que le passé fait partie de l'histoire, que demain est un mystère et qu'aujourd'hui est un présent, c'est pourquoi on l'appelle le présent. Lorsque ton moi cherche la sécurité dans la fin plutôt que dans les moyens, ta vie et ton bonheur sont axés sur les résultats. S'écrier: "Je veux simplement être heureux" vient de ce qu'on s'attache à ces résultats car on les perçoit comme la clé de ce bonheur. Cependant, ils ne sont pas la clé.»

– Mais n'est-ce pas le résultat final qui est important?», questionna l'homme. «C'est pourquoi nous faisons ce que nous faisons.

– Ton bonheur ne t'attend pas à un endroit particulier, il est déjà dans ta vie. Lorsque tu vis dans l'ici et maintenant, et que tu *abandonnes* les résultats quels qu'ils soient, tu peux concentrer toute ton énergie sur le processus de ta vie. Quand tu t'attaches au résultat, tu disperses ton pouvoir car tu n'as sur lui aucun contrôle. Tu peux seulement contrôler le processus.»

L'homme avait du mal à accepter cette idée. Elle était contraire à ce qu'il avait toujours pensé.

«Comment cela?», demanda-t-il. «Il faut sans doute garder à l'esprit le résultat et il faut sûrement exercer un certain contrôle sur ce résultat?

– Garder à l'esprit le résultat qu'on espère atteindre n'est pas la même chose que s'y attacher», répondit la voix. «Ce fardeau que tu t'imposes – et qui consiste à rechercher continuellement le bonheur – vient de ce que tu veux contrôler ou manipuler les résultats. Lorsque tu imagines la façon dont le futur va se réaliser, tu déstabilises le processus qui permet aux choses de suivre leur cours. S'attacher à quelque chose t'oblige à vouloir forcer l'aboutissement et cet effort lui-même risque d'éloigner ce que tu recherches.»

L'homme repensa à l'époque où il souhaitait désespérément avoir une petite amie, et pourtant, plus il s'efforçait d'y arriver, moins il semblait réussir. En fin de compte, sitôt qu'il avait cessé de poursuivre les jeunes filles de ses assiduités et d'essayer de se faire remarquer par elles, il avait très rapidement commencé à son grand étonnement une relation exactement du genre de celle qu'il avait espérée. Son visage se crispa lorsqu'il se souvint de quelle façon il avait essayé d'accélérer le déroulement de leur relation et comment il y avait mis fin involontairement.

La voix reprit: «Tout dans la nature, et tu en fais partie, suit un processus. Lorsque tu essaies d'impressionner quelqu'un, tu obtiens le résultat opposé. On ne voit pas un arbre essayer de pousser plus vite qu'il ne le peut. On ne voit pas un fleuve prendre un raccourci pour arriver à la mer. Il n'offre aucune résistance et pourtant il arrive toujours où il doit aller et ne s'attache pas au résultat. Si tu peux accepter que l'univers est un équilibre et que chaque chose est à sa place, au bon moment, tu pourras arriver à te détacher des résultats.

«Bien entendu, en même temps il faut garder ton objectif à l'esprit. Autrement, tu risques de négliger les nombreuses coïncidences significatives qui se produisent pour t'aider dans ta vie. Si tu ne vis pas dans l'ici et maintenant, comment pourras-tu voir ces occasions?

– Que voulez-vous dire par *coïncidences significatives*?», demanda l'homme d'un ton surpris.

– Ce sont des occasions qui s'offrent à toi, bien qu'elles soient souvent obscures et apparemment absurdes au moment où elles se manifestent. Causées par une énergie puissante, transmises par tes pensées les plus dominantes, ces coïncidences sont significatives à l'égard de ton objectif actuel quel qu'il soit. Tu attires littéralement les gens et les situations qui correspondent à tes pensées dominantes.

– Eh bien, je n'ai pas constaté que des coïncidences significatives se soient traduites par des occasions», lança l'homme.

– Ce qui se ressemble, s'assemble. C'est une loi universelle qui continue à exister que tu en aies conscience ou pas. Même si tu n'avais pas choisi de comprendre ce qu'elles signifiaient, lorsque ces coïncidences se sont produites, tu les as quand même provoquées.»

L'homme fouilla sa mémoire pour trouver des événements inhabituels qu'il avait choisi d'ignorer. Des choses qu'il n'avait pas estimées pertinentes lorsqu'elles s'étaient produites et qu'il avait écartées simplement comme une coïncidence. Les événements qui lui vinrent surtout à l'esprit étaient ceux qui semblaient s'être manifestés lorsqu'il avait espéré que quelque chose ne se produirait *pas*.

«Que se passe-t-il?», avait demandé sa femme, en le regardant ouvrir son courrier.

– *Rien.*

– *Eh bien, ta figure me dit qu'il y a quelque chose».*

En effet. C'était une lettre de la banque au sujet du compte à découvert. Son instinct lui avait pourtant laissé pressentir avec insistance qu'il devrait communiquer avec la banque, avant qu'on entre en contact avec lui, et il n'avait rien fait. Encore une autre occasion où il avait permis à quelqu'un de prendre le pas sur lui en lui téléphonant ou en lui écrivant en premier.

«Eh bien, dis donc, en voilà une coïncidence». Tant de fois il avait rencontré des gens qu'il ne voulait pas voir! Il avait alors été obligé d'entamer une conversation et de dire combien il avait pensé à eux et quelle chance c'était de les avoir rencontrés à cet instant. Il s'agissait d'occasions fortuites pour eux, mais pour lui elles étaient rarement avantageuses.

Pourtant, il se rappelait certaines fois où les circonstances avaient semblé être en sa faveur. C'était curieux à quel point il ne cessait de rencontrer par hasard sa future femme.

«Bonjour», dit-il en s'asseyant à côté d'elle à un concert de charité organisé par un ami commun.

«Rebonjour», dit-il en remplissant son réservoir d'essence à la station-service.

À la banque: «Comme c'est curieux, je ne viens jamais dans cette succursale.»

C'était arrivé si souvent qu'ils en avaient même plaisanté, dit qu'ils devaient être faits l'un pour l'autre! Il faut dire qu'elle était constamment dans ses pensées. En fait, il n'avait pas pu se concentrer sur autre chose.

«Selon tes pensées», continua la voix, «cette loi travaillera pour ou contre toi, c'est pourquoi il est important de ne penser qu'à ce que tu veux et non pas à ce que tu ne veux pas. La plupart des gens se concentrent sans le savoir sur ce qu'ils ne veulent pas. Et c'est à leur détriment car ils attirent littéralement ce qu'ils ne veulent pas.

– Les pensées peuvent-elles être aussi puissantes?

– Elles sont les graines qui précèdent toute création. Rien n'existe sans la pensée.

– Donc si quelqu'un passe sa vie sans savoir ce qu'il veut, il se retrouve uniquement avec des incertitudes, comme c'était mon cas.

– Oui, excepté qu'il sait parfaitement ce qu'il ne veut pas. Par exemple, si une personne a été conditionnée à être critique, elle détecte immédiatement le défaut dans un argument, une suggestion, le caractère d'une personne, ou une carrière. Sa façon de penser est au diapason des choses qui ne lui conviennent pas, plutôt que des choses qui lui conviennent. Elle ne voit littéralement pas tous les points positifs pendant sa recherche. Elle fait littéralement plus de mal que de bien par excès de zèle, car ses préjugés la poussent à mettre choses et gens dans des catégories ou à leur coller des étiquettes quelle que soit la situation.

– Mais n'est-il pas important de déceler les faiblesses, autrement on ne peut pas être sûr si une chose donnera des résultats ou pas?

– Oui, si tes évaluations sont faites en tenant compte des points forts. Cependant, il n'y a pas d'équilibre quand les critiques sont fondées sur des pensées incertaines. Réfléchis un moment. Quand tu examines tes succès ou tes échecs, qu'est-ce qui te vient le plus rapidement à l'esprit?

– Mes échecs», répondit calmement l'homme, après une brève pause.

– Et quand tu penses à tes habitudes, lesquelles te viennent d'abord à l'esprit? Acquérir de bonnes habitudes ou maîtriser tes mauvaises habitudes?»

L'homme pensa à quel point il avait été intolérant, impatient et disposé à discutailler. «Maîtriser mes mauvaises habitudes», répondit-il.

– Alors», dit la voix, «lorsque tes pensées portent principalement sur les points négatifs plutôt que sur les points positifs, ta motivation est déformée en conséquence.

– Donc, toutes les difficultés de ma vie étaient directement le résultat de ma façon de penser?

– Tout comme tes pensées déterminent tes sentiments, tes actions et tes habitudes, elles ont aussi influencé tout ce que tu as vécu.

– Toutes mes relations avec les autres, mes situations, ma prospérité?

– Tout.»

L'homme resta silencieux.

Au début, se lancer en affaires avait été un acte de désespoir. Il avait toujours aimé l'idée de travailler pour lui-même mais, honnêtement, il avait manqué de courage. C'était étrange à quel point l'adversité semblait le forcer à faire des choses qu'il n'aurait jamais faites auparavant.

Il avait toujours pensé que sa sécurité consistait à travailler pour une entreprise. De cette façon, il n'aurait pas à s'inquiéter du salaire, bien qu'avec ses obligations l'argent n'avait jamais duré un mois comme prévu. Il avait toujours essayé de s'en tenir à un budget mais il n'y était jamais arrivé tout à fait. Il y avait toujours quelque chose à acheter, soit pour lui ou pour un membre de sa famille.

C'était surtout pour eux qu'il avait pris la décision de travailler à son compte. Après avoir été renvoyé une deuxième fois pour raison de compression de personnel, il avait dû faire quelque chose. Les «allocations» du gouvernement le mettaient mal à l'aise, même s'il s'était convaincu que le gouvernement les lui devait bien. Après tout, tout le monde était d'accord pour dire que les emplois étaient rares à cause des nouvelles politiques gouvernementales.

La personne qui lui avait suggéré de profiter de la situation dans laquelle l'avait mise cette politique de personnel excédentaire avait eu raison. Il n'avait pas compris la valeur de ce conseil au moment où il l'avait reçu. Mais avec le temps, c'est exactement ce qu'il avait fait et, en réalité, il avait été trop excité pour s'inquiéter même de sa façon de s'en tirer. Cependant, à certains moments, il avait été submergé de doutes. Sa femme l'avait soutenu et avait continué à l'encourager, en dépit du fait qu'elle lui avait servi de bouc émissaire, ce qui le débarrassait de son irritation et de son inquiétude.

Elle lui avait toujours conseillé de se concentrer sur les choses qu'il faisait bien. Pourtant, à mesure que l'entreprise se développait, il lui semblait qu'il passait la majeure partie de son temps à faire des choses qu'il n'aimait pas faire. Malgré sa conviction à savoir que son entreprise avait trouvé un créneau sur le marché, il avait eu peur de jouer en solo. Il se rappelait qu'il s'était senti soulagé lorsqu'il avait appris que d'autres s'étaient lancés dans la même branche que lui.

Néanmoins, plus tard, le soulagement avait cédé le pas à la crainte que la concurrence devienne trop forte. Il lui fallait découvrir ce que les autres faisaient pour rester plus compétitif. Donc, il pensait maintenant à son succès en le comparant à celui des autres et à ce qu'ils accomplissaient plutôt qu'à ses propres accomplissements. Il était obsédé par l'importance de la prochaine transaction, qu'il estimait être vitale pour continuer à rester en affaires. C'était devenu la base de sa sécurité retrouvée.

Il se rappelait maintenant d'un moment où il pensait que se marier avec sa femme était sa principale sécurité. Il lui avait dit qu'il ne pouvait pas vivre sans elle et elle aimait se rappeler comment sa persistance romanesque l'avait conquise. Ils s'étaient promis de se consacrer beaucoup de temps l'un à l'autre, mais les promesses devenaient de plus en plus difficiles à tenir. Chose certaine, elle avait changé après la naissance des enfants.

C'était également vrai pour lui. C'était la première fois qu'il s'était senti vraiment responsable à l'égard de quelque chose. D'habitude, il était très fier d'eux mais, à certains moments, lorsqu'il était sous pression, il les voyait mentalement presque comme un fardeau. Ces pensées provoquaient parfois en lui de la culpabilité. Particulièrement, lorsqu'il ne pouvait pas éviter de penser qu'ils l'avaient empêché d'accomplir de bien plus grandes choses.

Maintenant, en dépit de tous ses efforts, ses obligations continuaient à augmenter sans cesse. Il fallait investir plus d'argent dans l'entreprise pour pouvoir faire face aux nouvelles commandes qu'il anticipait. Il savait qu'il avait promis à sa famille de belles vacances, mais il serait obligé de leur dire que ce n'était pas possible. Ils comprendraient, ils n'auraient pas le choix, mais si seulement ses services étaient payés à leur juste valeur, il n'aurait pas eu de difficultés. Pourtant, il n'osait pas augmenter ses prix au cas où on lui aurait refusé la commande, et qu'auraient-ils fait à ce moment-là?

«Mais tu as promis aux enfants des vacances en famille. Que tu nous emmènerais à l'étranger dans un pays chaud cette année.» Sa femme était sincèrement bouleversée et incapable de dissimuler ses sentiments. *«Ça nous serait égal à tous si on allait camper encore une fois. Ce qui est important c'est que nous passions un peu de temps ensemble en famille.*

– Je comprends ça», répliqua l'homme. *«Mais ce que tu ne comprends pas c'est que je ne peux même pas me permettre de prendre congé, sans parler de l'argent. Nous devons absolument obtenir cette commande, c'est la plus grosse commande que nous ayons jamais eue et il faut que je sois là pour m'assurer que tout se passera sans problème.*

– Tu dis ça chaque fois. Tu ne prends jamais de congé. Commande après commande après commande, tu ne penses qu'à ça. Et ta famille? Ne sommes-nous pas plus importants que tes précieuses commandes?

– C'est que vous êtes tous tellement importants pour moi que je fais ce que je dois faire. Ne crois-tu pas que j'aimerais aussi prendre des vacances? Bien sûr que j'aimerais ça, je veux pouvoir me détendre et ne pas continuer à travailler comme je le fais. Mais cette commande-là nous donnera le coussin dont nous avons besoin. Quand nous

l'aurons reçue, nous pourrons payer le découvert à la banque et passer de grandes vacances là où tu voudras.

– Je ne veux aller nulle part. Je veux simplement que nous passions un peu de temps ensemble, les enfants seront grands avant que tu ne t'en aperçoives. Eh bien, cette fois-ci tu pourras leur annoncer toi-même la nouvelle.»

Il savait qu'il les avait blessés, mais à ce moment-là il avait sincèrement pensé que ce qu'il faisait était au mieux des intérêts de sa famille. Plus tard, il s'était aperçu que l'abîme qui commençait à se former entre sa famille et lui se creusait davantage. Il savait aussi que sa femme se préoccupait réellement de sa santé. Elle l'avait en fin de compte persuadé de prendre un petit congé, dès que cette transaction aurait été conclue. Mais cette transaction n'avait pas vraiment suffi pour modifier l'atmosphère familiale de plus en plus tendue.

«Comment mes pensées peuvent-elles être responsables de toutes les difficultés qui ont surgi dans ma vie?», demanda l'homme. «D'autres personnes étaient toujours en jeu et je faisais du mieux possible pour donner un toit à ma famille et de bons services à mes clients.

– L'état de ton monde extérieur n'était que le simple reflet de ton monde intérieur», commença à répondre la voix. «Le niveau de ta pensée et le degré de ta concentration en étaient directement responsables.

– Mais qu'en est-il du niveau de pensée des autres? Ne partagent-ils pas aussi une partie de la responsabilité?

– Non, car ils ne sont pas responsables des situations que tu as permis de se manifester dans ta vie. Cependant, ta question est un exemple du niveau de pensée que tu as choisi d'adopter. Lorsque tu abandonnes une partie de tes responsabilités aux autres, quant au déroulement de ta vie, tu leur permets de te contrôler psychologiquement, ou au point de vue émotionnel, ou physiquement.

«Imagine deux personnes. L'une dont tu attends quelque chose, de l'argent, de l'amour, de l'attention, un objet ou n'importe quoi. L'autre dont tu n'attends rien. Demande-toi si ta façon de penser ne diffère pas dans chacun des cas?»

L'homme repensa à la transaction qui avait été tellement importante pour lui. «Je suppose que j'ai pensé de façon différente.

– Pourquoi?», demanda la voix.

– Parce que c'était important. J'étais inquiet pour l'avenir.»

– Maintenant, imagine une personne qui attend quelque chose de toi. Te rends-tu compte de sa façon de penser?»

L'homme revit toutes ces personnes qui avaient désespérément voulu faire des affaires avec lui ou presque. Parfois, c'était tellement évident qu'il avait failli être grossier. En fait, quelquefois, il l'avait été. Même lorsqu'il avait traité des affaires avec eux, les choses ne s'étaient pas déroulées dans une atmosphère détendue comme avec les personnes en qui il avait davantage confiance. «Oui», répondit-il, «je m'en rendais compte, la plupart du temps en tout cas.»

– Cela a-t-il fait une différence dans ta façon de les traiter?»

Il dut admettre qu'il s'était toujours senti dans une situation dominante et que souvent il essayait de voir jusqu'où il pourrait aller avec eux.

«Oui», dit-il, comme s'il savait ce que la voix allait dire ensuite.

– Donc», dit la voix, «tu te rendais compte quand des personnes voulaient obtenir quelque chose de toi. Tu te sentais en position de force et tu étais capable de les traiter avec magnanimité, avec bonté, avec patience, avec condescendance, avec grossièreté, avec cruauté, en les congédiant ou en les comprenant, ou avec une tout autre attitude. Mais, en dépit de cela, tu t'es mis continuellement dans les mêmes situations d'infériorité chaque fois que tu avais affaire à quelqu'un dont tu voulais obtenir quelque chose.» La voix fit une pause avant de continuer.

«Il ne devrait y avoir aucune différence dans ta façon de penser, que tu veuilles obtenir quelque chose ou pas. Est-ce que le secret ne consiste pas à être aussi détendu quand tu es avec les autres que quand tu es seul?

– Oui, mais c'est sûrement plus facile à dire qu'à faire! Vous en parlez comme si c'était tellement simple. Mais comment aurais-je pu faire ça?

– Par la concentration, qui est la clé de tous les aspects de la vie. Plus tu te concentres sur ce que tu es en train de faire, plus tu commences à vivre dans le présent. Chaque fois que tu manques de concentration, tu es facilement distrait et tu oublies de vivre dans le présent. Tes erreurs et tes échecs te hantent et ton esprit est rempli de craintes pour l'avenir.

«Cela demande beaucoup d'efforts et de pratique, mais plus tu développes la capacité de te concentrer, plus tu commences à te voir sous un jour plus valorisant. Lorsque tu intensifies ta concentration, tu canalises l'énergie nerveuse que tu avais gaspillée auparavant à cause de l'anxiété, de l'inquiétude, de la frustration et du désespoir. Ces émotions disparaissent nécessairement lorsque tu portes toute ton attention sur leur cause, qu'elle soit tangible ou intangible, réelle ou imaginaire.

«Trop souvent, les gens font se dissiper ces émotions temporairement en se plongeant dans quelque chose de tout à fait différent, mais elles ne disparaissent jamais complètement. Elles continuent à les ronger jusqu'à ce qu'elles soient forcées de se manifester sous la forme d'une maladie. Il faut se concentrer sur leur source et cette source est la pensée.»

L'homme sentit un petit pincement de culpabilité lorsqu'il se rappela l'habitude qu'il avait de se plonger dans quelque chose de *nouveau* tout en espérant qu'un *vieux* problème particulier disparaîtrait. «Mais j'ai toujours trouvé très difficile de me concentrer. Même à l'école, dans tous mes bulletins, on disait que je manquais de concentration.

– Mais il t'était très facile de te concentrer lorsque tu jouais. Le temps passait très vite lorsque tu étais absorbé par ce que tu aimais faire, n'est-ce pas?

– Oui c'est vrai, mais encore une fois, c'est sûrement différent?

«Ce sont des circonstances différentes, peut-être, mais elles illustrent le fait que tu *avais* la capacité de te concentrer. Lorsqu'on sait la canaliser et la diriger comme il se doit, il n'y a aucune force plus puissante que la concentration. Cependant, la nature t'enlèvera ce que tu n'utilises pas régulièrement. Tes pouvoirs de concentration vont se volatiliser très rapidement si tu ne t'en sers pas souvent.

«Ta concentration est le moyen direct d'écouter ton intuition. Si tu es capable de te concentrer intensément tout en étant détendu, tu pourras entendre plus fréquemment et plus clairement cette sagesse intuitive qui provient de ton monde intérieur.

– Mais comment est-il possible d'être relax et de faire simultanément quelque chose avec intensité?

– Le pouvoir de la concentration signifie la capacité de méditer, ou de contempler afin de connaître. L'esprit doit être dans un état de calme, ce qui signifie que tu dois pouvoir te détendre et l'énergie pour le faire doit être intense, afin que tu puisses la canaliser. Lorsque tu *sais*, alors ton monde extérieur correspond à ton savoir.

– Savoir?» L'homme se tut. «Savoir quoi?»

«Savoir pourquoi tu es exactement là où tu te trouves dans le monde, pourquoi tu fais ce que tu fais à un moment donné, pourquoi tu es avec une personne en particulier, et qui tu es.

– Est-il possible de savoir *tout* ça?» La voix de l'homme était incrédule.

– Il est possible de savoir tout ce que tu veux, et plus important encore, il est possible de comprendre. Quoi que tu demandes, tu recevras. Cependant, les gens ne savent pas et ne comprennent pas *comment* il faut demander. Ils passent la majeure partie de leur vie sans demander comme il se doit. À cause de leur façon de penser erronée, notamment s'imaginer que d'une façon générale ils ne méritent pas les choses, ils supposent un résultat qui correspondra à leurs pensées.

«La conception qu'ils ont de leur propre valeur crée des limites et restreint leur monde en conséquence. Ils ont peur de demander ce qu'ils veulent car ils ne pensent pas l'obtenir. La vérité est qu'ils ne croient pas non plus qu'ils le méritent.

– J'avais peur de ne pas recevoir une commande importante si j'insistais pour obtenir ce que je voulais vraiment», dit l'homme, en se rappelant encore une fois qu'il n'avait même pas osé demander.

– Chacune de tes pensées renferme une énergie vibratoire. Chaque pensée est dotée d'une fréquence particulière et tous les signaux que tu émets sont reçus de façon subliminale par ceux qui t'entourent. La mesure dans laquelle tu ne recevras *pas* ce que tu demandes, est proportionnelle à la vibration que tu envoies. Comme ton esprit est constamment en train d'attirer des vibrations qui s'harmonisent avec lui, tout ce que tu crois créera ta réalité. Chaque être est ce qu'il est à cause des pensées dominantes qui occupent son esprit. Tu peux contrôler toutes les situations de ta vie, lorsque tu peux contrôler ta pensée. Lorsque tu contrôles ta pensée, tu peux déterminer les sentiments qui te feront agir.

«Cependant, tu ne peux pas utiliser la concentration pour écouter ton intuition, la voix de ton âme qui sert à te guider, si tu ne maîtrises pas tes pensées. Donc, si tu es incapable d'écouter ton intuition, alors la tâche de ton âme est encore plus ardue.»

L'homme écoutait avec une très grande attention. La voix avait transformé une question simple en quelque chose de beau et de significatif. Cela lui donnait l'impression qu'il avait compté dans la vie et, peut-être, qu'il avait été créé pour faire de plus grandes choses.

«Ton âme cherche à faire l'expérience de la plénitude personnelle, afin de pouvoir atteindre les niveaux de conscience les plus élevés. Ainsi, elle suit le chemin de la croissance constante. Son dilemme est qu'elle peut recevoir le flot de sagesse provenant d'une Source Infinie pour la guider, mais qu'elle est bloquée par les croyances restrictives de ton esprit qui l'empêchent de s'exprimer extérieurement.

«Tout ce que l'âme peut faire c'est de permettre à ton tourment intérieur d'augmenter jusqu'à ce que tu attires suffisamment l'adversité qui te détournera du chemin sur lequel tu t'es engagé. S'il arrive que tu modifies ton comportement, et que tu changes ta façon de penser, alors tu commences à évoluer spirituellement. Si, comme cela arrive trop souvent, tu choisis de persister dans la même voie lorsque tu arrives à la croisée des chemins à laquelle t'ont mené les ténèbres de l'âme, alors tu te retrouves dans les mêmes situations qu'auparavant.

– Je comprends maintenant pourquoi vous avez dit tout à l'heure que tout dans ma vie était influencé par ma façon de penser, ou plutôt par son absence, puisque j'ai toujours refusé de m'écouter.» L'homme se sentit la tête légère. Ce qu'il avait refusé de comprendre, avant cela, lui apparaissait maintenant très clairement. Il prit conscience de toutes les fois où il avait ignoré son intuition, presque «exprès».

Par exemple, les occasions où tout en lui le mettait en garde pour l'empêcher de dire quelque chose qu'il allait regretter et qu'il avait prononcé les paroles, en dépit du message intérieur qui le prévenait qu'elles seraient profondément offensantes. Dès que les mots avaient franchi ses lèvres, il les avait regrettés, mais il s'était toujours arrangé pour intellectualiser, pour se dire que les autres «le méritaient». Ils avaient voulu entendre ce qu'il avait dit et ils le méritaient. Il se mit à penser que c'était *peut-être* vrai. Peut-être qu'à leur tour c'était à cause de *leur* façon de penser! Si tel était le cas, alors sûrement leur façon de penser influerait sur son propre comportement.

«Si tout le monde envoie des vibrations individuelles», demanda-t-il, «comment est-ce qu'on peut être certain de contrôler nos actes? Il se peut que je n'aie jamais demandé ce que je voulais parce que je recevais leur signal négatif.» Au moment où il posa la question, il se demanda si peut-être, après tout, il n'avait pas tout à fait compris ce qu'on était en train de lui expliquer.

– Lorsque tu écoutes ton intuition consciemment, tu sais que tu te maîtrises. Tu deviens ta propre influence. Mais je vais t'expliquer davantage.

«Lorsqu'on lance une pierre dans l'eau, il se forme des rides concentriques. Si on lance une plus grosse pierre à un autre point de la surface de l'eau, de plus grandes rides concentriques se forment et englobent toujours les petites rides plus faibles. La même chose se produit pour les vibrations métaphysiques envoyées par tous les êtres.

«Les pensées positives ont une longueur d'onde plus forte que les pensées négatives qui ont une plus faible configuration. Toutes les pensées que tu envoies sont assorties de fréquences similaires. Donc, tu attires toujours les situations, les conditions, les gens et les circonstances qui sont sur la même longueur d'onde que toi.

«Les gestes qui résultent de tes pensées influencent la perception que les autres ont de toi, mais la façon dont ils te traitent est dominée par leur propre niveau de pensée. Rappelle-toi, cependant, que les gens similaires s'attirent, donc, bien que chacun crée inconsciemment des situations qui peuvent être partagées par d'autres, chacun les perçoit aussi différemment. Que tes pensées soient positives ou négatives, tu créeras des situations qui concrétiseront tes pensées.

«En outre», continua la voix, «il existe quatre niveaux de vibrations. En ordre croissant, ce sont les niveaux physique, émotionnel, mental et intuitif. La clé du succès est de les utiliser tous en même temps, ce pour quoi ils ont été créés. Mais il faut les utiliser dans l'ordre voulu, c'est-à-dire que le niveau supérieur contrôle les niveaux inférieurs. À moins de chercher à prendre *conscience* de toi, tu fonctionneras *in*consciemment à partir du niveau occupé par tes pensées dominantes.

«Par exemple, lorsque tes pensées sont concentrées aux niveaux physique et émotionnel, tu te préoccupes d'avoir assez à manger, à boire, de pouvoir dormir, et aussi d'avoir suffisamment de possessions matérielles et de richesses. Tu es préoccupé par des besoins émotionnels, tu recherches les situations gratifiantes et tu veux dominer et contrôler les autres.»

L'homme reconnut qu'il avait vécu principalement à ces deux premiers niveaux. Le niveau physique, parce que lorsqu'il se sentait mal, il l'avait laissé dominer sa journée. Et le niveau émotionnel, parce qu'il ne pouvait pas se concentrer lorsqu'il était bouleversé. Quant au niveau intuitif, il n'avait jamais pu le percevoir.

«Cependant, étant donné que chaque niveau ascendant régit le niveau qui lui est inférieur, une fréquence bien plus puissante est émise. Lorsque tu actives le niveau intuitif, tu forces automatiquement ton niveau mental à être positif, ton niveau émotionnel à être calme et ton corps à se comporter correctement. Lorsque tu utilises ton intuition, les quatre niveaux commencent à se combiner harmonieusement, de l'intérieur vers l'extérieur.»

L'homme se dit qu'il n'y avait certainement pas eu d'harmonie dans sa vie. En certaines occasions, il avait peut-être eu des intuitions, mais il les avait toujours ignorées.

«La force vibratoire que tes pensées envoient augmente de façon spectaculaire. Au lieu de vouloir contrôler les autres tout le temps, tu commences à les apprécier. À ce niveau, bien que tu aies en effet le pouvoir de les contrôler, tu n'en as ni le besoin ni le désir. En outre, le désir égoïste d'exploiter les autres en se demandant «quel est mon intérêt?» devient maintenant le désir de chercher à coopérer avec eux.

«Lorsque tes pensées cessent d'être dirigées vers ton moi personnel, elles commencent à se concentrer sur ton moi universel. Plus tu comprends l'Univers, plus tu reconnais que tout ce qui existe est une vibration et tu commences à réaliser que tu n'es pas distinct, mais que tu fais partie du tout. Lorsque tu sais cela, tu comprends comment tu vas recevoir en demandant.»

L'homme avait envie d'acquiescer, mais il n'avait jamais aimé demander, parce que lorsqu'il le faisait, il s'attendait toujours à ce qu'il y ait des conditions. Il lui fallait aussi s'avouer que même lorsqu'il avait demandé mentalement quelque chose, il avait eu de grands doutes qu'il recevrait quoi que ce soit. Cependant, tout en réfléchissant à ce qu'il venait d'entendre, il s'aperçut qu'il était difficile d'accepter le fait qu'il fallait comprendre tellement de choses avant d'apprendre à demander comme il le fallait.

«Mais tout au long de ma vie», demanda-t-il, «il n'y a certainement eu personne qui était capable de me dire les choses que vous venez de me dire. Comment est-il possible de savoir ces choses?

– La sagesse et la compréhension qui transcendent toute connaissance enseignée peuvent être acquises en apprenant à s'écouter profondément soi-même. C'est tout ce qu'il est nécessaire de faire pour savoir tout ce que tu es et tout ce que tu devrais faire.

– Si tel est le cas, et que cette chose est là pour que nous en profitions, pour que tout le monde en profite, pourquoi ne peut-on y accéder simplement ?

– Il y a un moyen très simple», répliqua calmement la voix, «et c'est la seule clé du succès.»

L'homme entendit la note d'impatience dans sa voix lorsqu'il demanda : «Qu'est-ce que c'est ?

– La foi. Tout simplement la confiance en soi.»

«Ton problème c'est que tu ne crois pas suffisamment en toi! Aie un peu plus confiance en ce que tu fais.

– *J'ai confiance en moi!»*, dit-il, mais en réalité il ne le disait que pour se défendre. Elle avait raison pourtant. Il était en train de perdre rapidement confiance dans ce qu'il faisait, et il commençait à avoir très peur. Son entreprise ne marchait pas comme il l'avait prévu et il en avait parlé à sa femme pour qu'elle le rassure.

«Eh bien, ça ne se voit certainement pas!»

Il l'observait maintenant et pouvait voir qu'elle était exaspérée par lui, parce qu'il s'était déchargé sur elle de ses inquiétudes. Elle avait tellement à faire pour s'occuper de lui et de leurs jeunes enfants qu'il n'aurait peut-être pas dû lui faire partager ses inquiétudes au sujet de ses affaires. Cela ne faisait qu'augmenter son sentiment d'insécurité.

«Bien sûr que j'ai confiance en moi, il le faut dans mon affaire. Je t'en parle seulement parce que j'ai besoin d'en parler à quelqu'un.»

Il se regardait, allongé sur le sofa, et fut surpris de voir à quel point il avait engraissé. Lorsqu'il avait des inquiétudes, il semblait qu'il avait toujours eu besoin de manger et de boire davantage. Une chose était sûre, c'est qu'il buvait beaucoup trop.

«Si je le remarque, alors pourquoi les autres ne le remarqueraient-ils pas? Certains de tes "collègues de travail" semblent certainement te connaître mieux que moi. Ce n'est pas étonnant; tu es toujours en train de déjeuner avec eux.»

Qu'est-ce qu'elle sous-entendait par là? Elle ne soupçonnait sûrement rien à propos d'«Elle» si rapidement. Il avait fait très attention. Non, ce n'était rien.

«Tu sais qu'inviter les gens à déjeuner ça joue un rôle important dans mes affaires. C'est le meilleur moyen de se créer des relations et d'inciter les gens à avoir confiance en moi.»

Oui, pensa-t-il, il valait mieux ignorer l'allusion et continuer.

«Oui, et c'est très coûteux. Tu ne m'emmènes jamais plus déjeuner. Tu me dis seulement que nous n'en avons pas les moyens! Si tu ne dépensais pas autant d'argent pour impressionner les gens, il t'en resterait peut-être un petit peu pour nous. Je t'ai déjà dit que les enfants ont besoin de nouveaux vêtements pour l'école.»

Pas ça encore. Il lui avait expliqué un nombre incalculable de fois que l'argent pour les affaires était différent de l'argent pour la maison.

«Je t'ai dit que je dois investir pour me créer des relations avant de pouvoir retirer des revenus.

– *Oh je suis sûre que tu en retires tout ce que tu veux!»*

Encore une allusion. Il ne se sentait pas très à l'aise, mais il pouvait voir qu'il ne se trahissait pas. Cette fois-ci il ne pouvait pas ignorer la réflexion, autrement il serait évident qu'il était en train de cacher quelque chose.

«Qu'est-ce que tu veux dire par là? Tu sais que je fais tout ce que je peux pour améliorer mes affaires.»

Elle se tourna pour jeter un coup d'œil à la télévision qui était allumée et à laquelle personne ne faisait attention.

«Non, pas "qu'est-ce que" je veux dire, mais "qui" je veux dire et tu sais de qui je parle. Tu es toujours en train de déjeuner avec elle. J'ai vu son nom dans ton agenda.»

Sauvé, pensa-t-il. Cela avait été très intelligent de sa part de mettre Son nom dans l'agenda. Il savait que sa femme vérifiait régulièrement où il était. C'est une chose qu'elle avait toujours faite au cas où elle aurait besoin de communiquer avec lui d'urgence.

«Alors tu sais qu'elle représente la compagnie de laquelle j'attends ma prochaine grosse commande. Si je ne l'obtiens pas, je serai vraiment dans le pétrin.»

Tout en s'observant, il fut surpris de voir avec quel calme il répondait en dépit des soubresauts de sa conscience. Il réalisa qu'il percevait sa conscience en fonction de «est-ce qu'on va découvrir la vérité?» plutôt que «est-ce bien ou est-ce mal?».

Il entendit sa femme soupirer et lui donner une dernière réplique comme elle se levait pour quitter la pièce.

«Je sais, je sais, toujours la "grosse" commande. Eh bien, on pourrait penser que le nombre de commandes que tu as eues par le passé auraient suffi à te donner toute la confiance en toi dont tu as besoin.»

L'homme réfléchit: c'était vrai, il est certain qu'il avait fait beaucoup d'affaires par le passé. Mais, honnêtement, il avait commencé à se reposer sur ses lauriers, et avec arrogance par surcroît. En réalité, son arrogance avait peut-être augmenté pour dissimuler son manque de confiance en lui.

Il ne se sentait certainement pas sûr de lui s'il ne recevait pas les commandes auxquelles il s'attendait, et quand les gens refusaient il prenait cela comme une injure personnelle. Sa confiance en lui avait en effet pris un coup dans l'aile, et si ce qu'il avait appris au cours de ces séminaires auxquels il avait assisté était vrai, c'était aussi le cas de son image de soi. Pourtant, il se sentait bien lorsqu'il était près d'Elle. Il y avait quelque chose en Elle qui l'avait littéralement fasciné.

Il lui fallait admettre qu'il avait tout fait pour attirer Son attention, mais il était sûr qu'elle éprouvait aussi les mêmes sentiments que lui. Au début, il ne s'était pas rendu compte qu'il était obsédé par Elle, et qu'il organisait constamment tous ses déplacements en fonction d'Elle. En tout cas, avoir une relation avec Elle semblait lui rendre sa confiance en lui. Elle ne se serait pas intéressée à n'importe qui, il lui fallait quelqu'un hors du commun. *Oui,* pensa-t-il, *Elle lui avait donné l'impression d'être quelqu'un de spécial, ou était-ce de l'orgueil?*

«La confiance en toi forme la substance de toutes tes attentes», continua la voix. «Chaque fois que tu attends quelque chose de toi-même, il faut persister jusqu'à ce que tu l'obtiennes, et la mesure dans laquelle tu persistes est une indication du degré de ta confiance en toi.»

L'homme se souvint combien il avait persisté pour développer sa relation illicite. Il avait été d'une imprudence folle, il avait joué avec le feu. Il se rappela à quel point ses émotions en avaient été saccagées lorsqu'il demanda: «Mais que se passe-t-il si ma persistance va à l'encontre de mes intérêts et que je n'en ai pas conscience? Est-ce que ça aussi c'est avoir confiance en soi?

– La confiance en soi utilisée de façon positive devient une force qui contient la promesse de toutes les choses que l'on espère, mais que l'on n'a pas encore vues ou réalisées. Cependant, il ne doit pas y avoir absence de confiance en soi, et si elle est mal utilisée elle porte en elle la prémonition de nos peurs les plus profondes et de ténèbres insoupçonnées. La bataille entre la confiance en soi et la raison d'une part, et l'imagination d'autre part, est constante. Les résultats en seront l'optimisme et la certitude, ou le cynisme et le désespoir.»

«Mais est-ce que cette foi, cette confiance en soi, ne fait pas partie de nos émotions?», demanda l'homme, en se crispant au mot «désespoir», car il lui rappelait ce qu'il avait ressenti.

– Te rappelles-tu le jour où tu as appris à nager?» rétorqua la voix.

«Je ne te lâcherai pas», avait dit son père. Il avait été très excité à l'idée d'apprendre à nager, mais aussi très nerveux.

«Surtout... je t'en prie... ne me lâche pas... quoi que tu fasses», s'entendit-il dire. Il le disait pour se rassurer plus que pour autre chose. Il avait raisonné parfaitement bien dans son jeune esprit qu'un corps qui

n'est pas soutenu ne coule pas nécessairement. Après tout, il avait vu des tas de gens nager et flotter sur l'eau. C'était presque comme si sa raison l'avait aidé à avoir confiance en ses capacités de nager lui aussi, puis il se rappela que son père l'avait lâché. Instantanément, il avait cessé de croire ce que lui dictait sa raison; son imagination et ses émotions avaient déclenché sa panique et il fut convaincu qu'il allait se noyer.

«Mes sens et mes émotions semblaient détruire la foi que j'avais dans ce que je savais être la vérité», répondit-il à la voix.

– Lorsque tu permets à tes émotions de contrôler ta foi, alors tu as tendance à faire appel uniquement à sa force, chaque fois que tu en as besoin. Avoir vraiment la foi c'est travailler vers quelque chose, ou continuer à faire quelque chose en quoi tu crois vraiment, jusqu'à ce que tu atteignes ton but, et même au-delà; et ce, *bien que* le sentiment que tu avais lorsque tu as commencé ait disparu ou se soit estompé depuis longtemps ou qu'il ait été remplacé par un autre sentiment.

– Et les doutes alors? Est-ce que tout le monde n'est pas en proie à des doutes à l'égard de ce qu'ils sont capables de faire, ou de demander?

– Les doutes, rationnels ou intuitifs, sont sains. En effet, ce n'est qu'au moment où tu remets ta foi en question, par exemple, que tu peux évoluer spirituellement. Mais les doutes persistants proviennent des émotions et émanent de ton moi conditionné, jamais de ton vrai moi.

«La foi existe chez tout le monde et elle s'accroît dans la mesure où tu crois en toi. À mesure qu'elle augmente, elle te permet de faire tout ce que ton cœur désire. Te fonder sur tes intuitions pour avoir la foi signifie que tu t'attends à recevoir une réponse. Cela ne signifie pas que tu dois abandonner après un court moment parce que les choses ne semblent pas se réaliser dans le temps que tu leur as imparti.

«Tout être humain sur cette terre», continua la voix, «s'est posé les mêmes questions: "Qui suis-je?", "Pourquoi suis-je ici?". Il est surprenant de voir qu'un trop petit nombre persiste suffisamment longtemps pour recevoir une réponse. Quant aux autres, tant leur raisonnement que leur intuition leur disent qu'il y a une réponse, mais ils permettent à leurs émotions de prendre le pas sur les questions fondamentales de la vie. Le moi préfère se développer avec l'orgueil qui est le vice le plus nuisible. C'est ce sentiment d'orgueil qui déforme toutes les merveilleuses qualités naturelles qui sont si importantes.»

L'homme fut préoccupé lorsqu'il entendit les mots «sentiment d'orgueil». N'était-ce pas le sentiment dont il s'était rappelé auparavant? «Mais est-ce qu'être fier de quelque chose n'est pas bien?

– L'orgueil dont je parle est celui qui te mène à tous les autres vices», répliqua la voix. «La vanité, plutôt que l'amour-propre. Aucun défaut ne rend plus impopulaire, et c'est le défaut dont la plupart des gens sont le moins conscients. Pourtant, plus on est orgueilleux et moins on tolère l'orgueil chez les autres.

– Comment alors peut-on savoir si on est orgueilleux?

– La façon la plus simple est de se poser la question suivante: "À quel point est-ce que je supporte que les autres me rejettent, m'ignorent, me parlent avec condescendance, ou fassent étalage de leurs qualités et de leur possessions?"

– J'étais toujours très irrité quand quelqu'un était le centre d'intérêt à une réception», dit l'homme. «Aurais-je voulu être à sa place?

– L'orgueil de chaque personne rivalise avec l'orgueil de tous les autres. Si quelqu'un fait quelque chose mieux que toi, alors tu le considères comme ton rival.»

C'était exactement le sentiment que l'homme avait éprouvé. «Est-ce l'orgueil alors qui pousse les gens à être de plus en plus exigeants?

– De par sa nature, l'orgueil pousse à la rivalité et ce défaut est la cause principale du malheur des nations, ainsi que de toutes les familles. L'orgueil ne permet pas de ressentir du plaisir lorsqu'on possède quelque chose, seulement quand on a quelque chose qui est supérieur à son voisin. Les gens ne sont pas orgueilleux parce qu'ils sont riches, intelligents ou beaux. Ils sont orgueilleux parce qu'ils sont plus riches, plus intelligents et plus beaux que les autres. Dans le cas impossible où tout le monde serait également riche, intelligent et beau, qu'est-ce qui pourrait susciter l'orgueil? C'est la *comparaison* qui nous rend orgueilleux, le plaisir d'être supérieur au reste et de se sentir *spécial*.

«Une fois que cet élément de concurrence a disparu, l'orgueil n'existe plus. Il est important de comprendre cela, car l'orgueil est un cancer spirituel. Tandis que ton orgueil te donne le sentiment d'être plus spécial que les autres, cependant, tu *attires* à ton insu la défaite que tes actions rendent inévitable. Ton âme, qui lutte pour se débarrasser de ce cancer, apprécie cet événement. Elle sait qu'il est impossible d'utiliser les pouvoirs de la foi pendant que l'orgueil dévore ton humilité, ton bon sens et ton contentement. Car ce n'est que dans l'humilité que ta foi te permettra de te connaître toi-même, et à ton tour, tu recevras alors ce que tu demandes.»

La voix se tut un moment et reprit: «Parle-moi de ta chute.»

«Heureux de vous revoir, monsieur; votre table habituelle est prête.»

Il aimait ça. C'était formidable d'être traité avec respect. Remarquez, il le méritait, après tous les clients qu'il avait amenés dans ce restaurant. Mais ce n'était pas la seule raison. Il était important. Il était «quelqu'un» dans la ville et il fallait qu'on le traite comme il le méritait.

Cela n'avait pas toujours été le cas. À certains moments, on l'avait traité avec dédain et on l'avait même ignoré. Pas seulement dans ce restaurant d'ailleurs. Il avait l'impression qu'il avait éprouvé la même sensation dans la plupart des établissements lorsque ses affaires n'allaient pas très bien. Il avait pris la décision de tout changer et il y était parvenu. Une fois qu'il était arrivé à obtenir ces commandes tout avait commencé à aller pour le mieux. Les gens s'étaient mis à vouloir traiter des affaires avec lui, et c'était bien normal.

«Oh, à propos monsieur, votre invité a téléphoné pour dire qu'il serait en retard d'environ dix minutes. Est-ce que vous préférez attendre à votre table ou prendre un verre au bar?»

Je préférerais qu'il soit là en train de m'attendre, pensa l'homme. *En retard. Pour qui se prend-il? Après avoir suggéré que nous déjeunions ensemble, il a eu de la chance que j'accepte. En retard! Je doute même qu'il ait pu obtenir une table dans ce restaurant si je n'avais pas offert de faire les réservations.*

«Je vais aller directement à ma table... Merci.» Il insista sur le mot «aller», et se débarrassa du mot «attendre», tout en se souriant à lui-même. Il était certain que parce qu'il serait assis à sa table son client se sentirait encore plus gêné de l'avoir fait attendre.

Il aimait cette table. Cela faisait un moment qu'il avait l'œil dessus et il avait fini par l'obtenir, bien que cela lui ait coûté une petite fortune en pourboires. Cependant il estimait que ça valait la peine, car lorsqu'il y prenait place il avait l'impression de présider et il pouvait voir toute la salle.

«Bonjour.» Il l'avait vu entrer et en avait profité pour jeter ostensiblement un coup d'œil à sa montre au moment où il arrivait à la table. *Quatorze minutes!,* pensa-t-il.

«Comment allez-vous? Je suis content de vous voir.»

Il savait que le coup d'œil à sa montre avait été remarqué.

«Navré d'être en retard», s'excusa-t-il en s'asseyant, «je ne trouvais pas d'endroit où me garer. Ces restaurants n'ont jamais assez de places de stationnement. Avez-vous reçu mon message?

– Oui, merci. Pas de problème. Je ne suis ici que depuis quelques minutes moi-même.» *Que voulait-il dire par ces restaurants?*, pensa-t-il.

– Quand même ça a l'air très bien ici. C'est la première fois que j'y viens. Espérons que la cuisine sera aussi bonne qu'ils le disent.

– Oh, je peux vous assurer qu'elle l'est.»

Le déjeuner n'avait pas été un événement mémorable. Non pas à cause de la cuisine, qui en effet avait été excellente, c'était plutôt l'affaire qui était offerte. «Pour qui se prend-il?» Il avait cru qu'il s'agirait d'une proposition alléchante, mais ce dont on lui parlait ne lui servirait à rien. Il n'y avait pas assez d'argent à faire.

Il pouvait voir pourquoi cet homme voulait faire des affaires avec lui, bien entendu. Comme ça il aurait été présenté à toutes les relations intéressantes qu'il avait mis des années à se faire. Pas question. C'était peut-être la troisième fois que les choses se passaient comme cela, mais il croyait qu'avec sa réputation il pouvait se permettre d'être difficile. Il se rappela sa surprise, il était même presque décontenancé par la façon dont cet homme ne semblait pas tenir outre mesure à décrocher l'affaire. Si ça avait été lui, il aurait certainement été ennuyé.

❖

Avec le recul, l'homme s'aperçut de quelque chose de différent, quelque chose qui ne lui avait pas sauté aux yeux à ce moment-là. Cet homme avait vraiment l'air d'être en train de l'interviewer et n'avait pas semblé impressionné par ce qu'il entendait. Durant le déjeuner, l'attitude du client lui avait paru frivole, il manquait de respect, il était même arrogant, et pourtant maintenant il prenait conscience que ces mots décrivaient plutôt sa propre attitude. Avait-il vraiment été comme ça? Est-ce que cet homme n'avait vraiment pas voulu traiter avec *lui*?

Après le déjeuner, il était allé faire un tour à la campagne. Il voulait prendre le temps de réfléchir. Il savait qu'un tas de gens enviaient son ascension fulgurante. C'était inévitable. Après plusieurs déménagements, il avait acheté une propriété prestigieuse dans un très beau quartier. Sa situation était bonne et sa famille ne manquait de rien. Il en était sûr, bien qu'il ne passait peut-être pas assez de temps chez lui.

Mais comment faire? Il avait toujours quelque chose à organiser au bureau, ou quelqu'un à voir. Et il fallait qu'il prenne le temps de la voir Elle. Dieu qu'il était amoureux d'Elle! Même après tout ce temps, il ne pouvait pas s'empêcher de penser à Elle. Il ne pouvait même pas supporter la pensée de ne plus la voir, ou l'idée que quelqu'un d'autre pourrait prendre sa place, mais pourtant il n'avait pas encore eu le courage de quitter sa famille.

Maintenant, ce serait différent. Maintenant qu'il avait persuadé son banquier de lui donner une plus grande marge de crédit, il se sentait beaucoup plus maître de la situation. Il avait décidé d'acheter une maisonnette quelque part à la campagne, comme celle qu'il avait choisie quelques années auparavant. Quelque part à la campagne, loin des yeux indiscrets, pour qu'ils puissent être ensemble. *En fait*, pensa-t-il, *s'il faisait attention, personne ne découvrirait rien. Il ne fallait pas que ses clients sachent ce qui se passait. Tout en étant certain qu'ils seraient tous jaloux, il se souciait de ce qu'ils pourraient penser ou dire*.

Et tout le reste? Il lui faudrait abandonner beaucoup de choses et sa femme insisterait pour garder la maison. D'autre part, il ne voulait pas voir ses enfants malheureux, donc il vaudrait mieux lui laisser la maison pour le moment. De toute façon, même si les enfants étaient encore petits, elle n'avait pas besoin d'une si grande maison; il pourrait lui suggérer quelque chose de plus modeste. Après tout, s'il pouvait être heureux dans une maisonnette, il était sûr qu'ils le seraient aussi.

Il était retourné au bureau, décidé à donner quelques coups de fil pour concrétiser ses plans. Il commença à penser à ce qu'ils feraient ensemble le lendemain. Ils s'étaient arrangés pour se voir pendant toute la journée et rien que d'y penser il ne se tenait plus de joie. Ils iraient à la campagne voir la maisonnette qu'il avait l'intention de lui montrer. Quelle surprise ce serait.

Il ne se sentait certainement pas coupable. Ses affaires allaient bien sans qu'il soit constamment au bureau. Il avait déjà noté dans son agenda qu'il allait emmener un autre client déjeuner. Pour cela, il avait réservé toute la journée en ajoutant que ce client particulier vivait à la campagne et qu'il lui faudrait le temps d'y arriver. *C'est parfait*, pensa-t-il, *et si personne ne sait rien, personne ne va en souffrir*. Oui, il y avait de sérieux avantages à être son propre patron. Il pouvait faire sa propre loi.

L'homme remarqua qu'il avait consulté sa conscience plutôt pour s'assurer que personne ne découvrirait rien que pour savoir si c'était bien ou mal. C'est comme si on lui avait appris qu'il pouvait faire tout ce qu'il voulait, du moment que personne n'en savait rien. Voyez-vous, il se rappelait qu'il n'avait pas aimé la façon dont sa conscience le dérangeait parfois. Il avait horreur de blesser qui que ce soit, mais il se demandait maintenant pourquoi il s'était préoccupé davantage de ce que les autres pensaient plutôt que de ce qu'il pensait lui-même.

Il lui avait paru tout à fait évident que tant que personne ne savait rien ou ne souffrait pas, que tout et tout le monde irait très bien. Pourtant, les sentiments qu'il éprouvait maintenant étaient différents. Il ne se sentait pas très à l'aise avec le mode de vie qu'il avait choisi.

Beaucoup de gens allaient souffrir à cause de ses gestes, mais il se rendait compte maintenant que celui qui avait le plus souffert c'était lui-même. Cela avait été continuel. Comment avait-il pu se tromper lui-même si complètement et durant si longtemps?

Il se rappela que, comme il retournait au bureau, il avait pensé qu'il faudrait téléphoner pour obtenir les clés de la maisonnette, lorsque soudain il vit Sa voiture. Comme toujours, chaque fois qu'il La voyait, son cœur bondissait d'excitation. *Quelle coïncidence*, pensa-t-il, *il pourrait La voir maintenant, au lieu de penser simplement à Elle*.

Cependant, ce moment de plaisir se transforma en douleur lorsqu'il vit qu'elle ne conduisait pas. Elle était à la place du passager et un homme, qu'il ne reconnaissait pas, était au volant. Il essaya de se calmer en se demandant s'il allait La suivre lorsqu'ils l'auraient dépassé. Elle l'avait sûrement remarqué? Et sinon, pourquoi? Elle était trop prise par la conversation, c'est pour cela. Remarquez, d'autre part, ils avaient décidé de ne pas trop se trahir en public, mais un simple geste de la main n'était pas compromettant. Il était sûr qu'ils étaient en train de rire pourtant. Ils avaient certainement l'air de s'amuser. Que diable se passait-il?

Il continua à se poser des questions stupides et sans aucun sens. Il essaya de se dire que ce n'était rien, mais il ne pouvait pas empêcher le doute d'envahir entièrement son esprit.

L'homme se revit tandis qu'il s'adressait grossièrement à ses employés. Ce n'était pas un grand bureau et son humeur était contagieuse.

«Vous avez eu trois appels pendant que vous étiez absent. Un de la banque, un de votre femme, les deux vous demandent de rappeler, et une personne a annulé un déjeuner...

– Demain?» dit-il en l'interrompant et en essayant de ne pas révéler qu'il était en proie à la panique.

Sa secrétaire était calme, mais ses yeux révélaient qu'elle était intéressée par sa réaction. «Non, s'il vous plaît, laissez-moi finir. J'étais sur le point de dire aujourd'hui. Votre rendez-vous d'aujourd'hui a téléphoné pour demander s'il pouvait annuler, mais lorsque j'ai dit que vous étiez déjà parti, il a dit de ne pas s'inquiéter et qu'il vous verrait de toute façon. Il n'a rien dit à propos d'un retard, mais qu'il téléphonerait au restaurant et qu'il leur dirait de vous donner un message.»

L'homme soupçonna sa secrétaire de savourer ce qu'elle venait de lui faire endurer, puis il décida que son interprétation était probablement exagérée. Il était sûr qu'elle ne savait rien de sa vie hors du bureau, pourtant il prit conscience du fait que tromper était une chose exténuante. Dernièrement, il avait commencé à s'attendre à une catastrophe chaque fois qu'on lui laissait un message. C'était même encore pire à la maison. Il en était arrivé au point où il sursautait chaque fois que le téléphone sonnait, au cas où ce serait Elle ou quelqu'un qui, innocemment, pourrait dire quelque chose de déplacé qui révélerait le pot aux roses.

Qu'est-ce que sa femme voulait? Ça ne lui ressemblait pas de téléphoner et de ne pas laisser de message. Généralement, c'était pour lui demander de rapporter quelque chose à la maison ou de lui rappeler de le faire. Et la banque, pourquoi est-ce qu'ils lui avaient téléphoné?

L'homme s'observa, très conscient de ce que son imagination, stimulée par son appréhension, se déchaînait. L'appréhension au sujet de la scène qu'il venait de voir. Que signifiait-elle? Il était incapable de se concentrer, et encore moins de réfléchir.

Il s'entendit dire: *«Faites-moi une tasse de thé, s'il vous plaît, pendant que je rappelle ces gens.»*

Bien entendu, il avait commencé par appeler pour voir si Elle était de retour au bureau. Il n'y avait pas de réponse sur Sa ligne directe, donc il appela la réception pour savoir si Elle était au bureau ce jour-là. La réceptionniste ne put l'aider et il décida de ne pas laisser de message.

Ensuite il appela la banque. Le directeur fut assez agréable, mais voulait savoir s'il voulait donner des directives pour que l'on transfère des fonds de son compte d'affaires vers son compte personnel, car ce dernier était dégarni. Bien qu'il ait pris des arrangements pour qu'on lui rappelle ce genre de choses, il fut surpris que cela soit arrivé aussi rapidement.

Peut-être avait-il dépensé plus d'argent qu'il ne le pensait. Il remercia le directeur, et lui demanda de mettre sa suggestion à exécution, en ajoutant qu'il fallait qu'ils déjeunent bientôt ensemble.

Puis il téléphona à sa femme.

«Tu ne peux pas faire ta propre loi. Il existe des lois universelles, indépendantes de ta personne, qui rendent cet espoir futile. Ces lois te contrôlent, et ta conscience te guide afin que tu les suives.»

L'homme cessa de lutter avec le souvenir du traitement qu'il avait infligé à sa conscience, dès qu'il entendit la voix.

«Tu peux imaginer ta conscience, par exemple, comme une boussole intérieure qui t'indique constamment le nord, la voie exacte ou les principes de vie. C'est la dynamique de ton âme qui guide ton développement personnel et ta prise de conscience, ces deux éléments essentiels de ton évolution.

«Si tu permets aux circonstances extérieures de démagnétiser cette boussole», continua la voix, «tu déformes les indications de ta conscience et tu en affaiblis le pouvoir. Ta conscience naturelle, qui est une émotion spéciale et positive, reste alors passive derrière ta conscience conditionnée. Celle-ci, à son tour, devient la proie de toutes tes émotions négatives. Si tu n'utilises pas tout le potentiel de ta conscience, lorsqu'elle se manifestera, elle t'apportera toujours des sentiments d'inconfort, et même de souffrance, car il est très pénible de faire face à la vérité sur soi-même.

– Mais n'est-ce pas le but de la conscience de nous culpabiliser et de nous mettre mal à l'aise?

– Non, ce n'est pas son but. Elle est là pour t'indiquer ces principes universels qui créent l'harmonie et la qualité de vie. Mais comme tu ne peux rien cacher de ta conduite à ta conscience, elle te met mal à l'aise lorsque tu ne suis pas ces principes qu'elle cherche à t'indiquer. Cependant, pour t'empêcher de ressentir ces sentiments pénibles, tu développes des méthodes pour utiliser tes émotions négatives, telles que la colère, la peur, la suspicion, l'apitoiement sur toi-même et la jalousie, pour justifier tes actes.»

L'homme repensa au nombre de fois où il avait été sous l'influence de ces émotions et demanda: «Quel genre de méthodes?

– Des méthodes qui te poussent à infliger le même traitement aux autres que *celui* qu'on t'a infligé. Des méthodes qui te poussent à te défendre ou à justifier tes gestes. Par exemple, à penser que parce que tout le monde fait quelque chose, c'est bien, ou, si personne n'est au courant de quelque chose, et n'en est pas affecté ou blessé, alors cette chose n'a pas d'importance.»

Cette philosophie avait peut-être été à la base de plusieurs de ses actes, pensa l'homme. «Mais si quelqu'un fait quelque chose exprès pour me bouleverser ou me mettre en colère? Est-ce que ce n'est pas une raison suffisante pour que je me défende?

– C'est une illusion de croire que tes émotions négatives sont créées, ou causées, par les autres, ou par les circonstances. Ces causes sont en toi, et non pas hors de toi. Ce sont des causes qui n'existent que parce que tu fais l'erreur de croire qu'elles font partie de toi. Tu les as créées comme une sorte de propagande artificielle avec laquelle tu t'es identifié. Elles ne sont pas toi, cependant, parce que tu n'es pas tes émotions.

«Étant donné que tu cherches en général à éviter les sentiments désagréables et les prises de conscience pénibles à ton sujet, tu prends l'habitude de penser et de faire les choses d'une certaine façon. Lorsque tu as un sentiment désagréable, que tu appelles "mauvaise conscience", tu cherches automatiquement à te justifier afin de ne pas te sentir trop mal à l'aise. S'il n'y a aucune raison pour arrêter cette façon habituelle mais artificielle de fonctionner, tu commences à croire ta propre propagande à ton sujet. Tu as eu tendance à adopter une attitude arrogante dans tes relations avec les autres, car il était plus facile d'accuser tout et tout le monde, excepté toi-même.

– Qu'est-ce que j'aurais pu faire pour développer un mode de pensée qui m'aurait permis d'écouter ma conscience comme il se doit?

– Tu aurais dû t'observer intérieurement. Ton monde le plus important est ton monde intérieur.

Dans ce monde, on retrouve la prise de conscience personnelle, la volonté indépendante, l'imagination créatrice et la conscience. L'observation intérieure te mène à comprendre comment ta conscience fonctionne et comment tu peux l'utiliser pour créer et développer une vie équilibrée.

– Pouvez-vous m'expliquer comment il est possible de s'observer soi-même intérieurement?

– De la même façon que tu peux dire si l'eau est fraîche ou chaude, tu peux apprendre à faire la distinction entre ces sentiments qui sont frais et agréables, et ceux qui sont chauds et dérangeants. Observe de quelle façon tes sentiments prennent corps lorsque quelqu'un te critique ou te remet en question. Remarque comment tu te sens lorsque tu reçois de mauvaises nouvelles ou de bonnes nouvelles. Observe comment tu éveilles des vagues de dépression ou d'excitation respectivement. Tu commenceras ainsi à faire la différence entre ton vrai moi et ton faux moi conditionné, entre la vérité et la pensée artificielle.»

L'homme se rappela à quel point il avait été sur la défensive lorsqu'il s'agissait de certaines de ses idées. «Je suppose qu'en m'observant de cette façon, j'aurais peut-être compris que j'avais quelques idées fausses à mon sujet?

– Oui», répliqua la voix, «quand tu essaies de prouver que ce qui est réellement une illusion est une réalité, il en résulte des tensions. Dans la vie il est important de remettre en question toutes les idées que tu te crois obligé de défendre. Pourquoi les défends-tu? Es-tu simplement en train de plaider pour ton faux moi? La vérité n'a pas besoin de défense, ni de justification. Elle peut être expliquée mais elle n'a jamais besoin d'être défendue. Lorsque tu te défends et que tu défends des idées imaginaires à ton sujet, tu finis par être tendu et épuisé.»

L'homme se rappela à quel point il avait été mal à l'aise de voir que les autres ne semblaient pas l'accepter comme il l'espérait. Parfois, il avait défendu ses faits et gestes vigoureusement, plutôt que de risquer d'être rejeté par eux. Il avait toujours détesté le rejet.

Anticipant ses pensées, la voix enchaîna: «Il est important de remarquer les divers sentiments que tu éprouves lorsqu'on te rejette ou que l'on t'accepte. Il est sage de risquer chaque fois d'être rejeté, car on apprend quelque chose du rejet et rien de l'acceptation, tout comme le missile retrouve sa route lorsque son gyromètre indique une variation de direction. Ne t'es-tu jamais rendu compte du sentiment de satisfaction superficielle que tu as ressenti lorsque tu as été rejeté ou insulté?

– Je me rappelle que j'ai cessé de parler à un ami durant plusieurs années lorsqu'il m'a dit quelque chose que j'ai interprété comme une insulte. J'admets que le sentiment pénible que m'avait laissé l'expérience n'a pas duré, mais je n'ai pas remarqué la moindre satisfaction. En y réfléchissant bien, la raison pour laquelle j'ai continué à me sentir offensé est que je m'y complaisais.

– Ne pas oublier l'offense signifie que l'on en retire une fausse satisfaction. Il n'y a pas d'autre raison. Souffrir, être blessé ou se sentir coupable ne sont pas des vertus. La vraie compréhension et la vraie croissance se manifestent quand tu cesses de savourer tes souffrances. C'est la loi universelle selon laquelle tu dois lâcher prise, afin de te libérer, tout comme tu dois perdre de vue la côte avant d'être en mesure d'en voir une autre.

– Ce n'est pas parce que tu crois qu'on t'a trompé ou insulté que tu éprouves du ressentiment. C'est parce que ta crédulité a été mise à nu. Mais tu ne le constateras qu'au moment où tu cesseras de nourrir de la rancœur. Le moi ne veut pas abandonner le ressentiment, car il en retire davantage de satisfaction que de se débarrasser pour toujours de la crédulité, en acceptant la leçon que donne l'humiliation.

«Cependant, la vérité qui blesse ton ego est la même qui te libère et qui renforce ton caractère. En reconnaissant le sentiment de satisfaction que tu retires des situations où tu t'es blessé toi-même, tu es à même de lâcher prise et de libérer l'énergie qui était bloquée. C'est important car à l'instar de tout ce qui reflète le monde intérieur et extérieur, l'énergie avec laquelle tu savoures la douleur que tu t'es infligée est la même énergie que tu utilises pour blesser les autres.

«En t'observant et en t'évaluant régulièrement, tu aurais pu prendre davantage conscience de toi-même. Étant donné que la prise de conscience est l'oreille qui capte la voix de la conscience, tu es en mesure d'écouter, avec une plus grande acuité, les directives que te donne ta conscience. Ainsi tu peux comprendre ces lois universelles qui sont tellement vitales pour tout ce que tu fais et pour toutes tes relations et tes communications avec les autres.

«Ces lois auront toujours leur effet paradoxal, qu'elles soient comprises ou non. Le besoin de dominer ou de contrôler les autres pour obtenir leur respect aura l'effet contraire. Toute mesure que tu prends pour sembler fort aux yeux des autres sera interprétée comme de la faiblesse. Quand tu n'essaies plus d'avoir l'air impressionnant et important, tu ne sens plus la tension créée par ton comportement artificiel.

– Je me suis comporté tellement souvent comme je croyais que les autres voulaient que je me comporte. Est-ce pour cette raison que je me sentais parfois tellement épuisé?

– Il vaut mieux se comporter comme on est vraiment, même si cela met fin à une relation. Cela n'a aucun sens de te réprimer pour tenter de garder, de gagner ou d'influencer quelqu'un. Quand tu n'es pas toi-même, tes récompenses ne sont pas réelles. Il est inutile d'essayer de changer la façon dont les autres te traitent en apprenant des comportements calculés, ou des techniques pour maîtriser et dominer la situation. Cela ne sert qu'à créer des conflits intérieurs en toi.

«Ce que tu dois rechercher vraiment dans tes relations c'est la maîtrise de toi-même, et non pas la maîtrise des autres. Rechercher l'approbation, exprimer une fausse sollicitude pour le bien-être des autres, s'expliquer aux autres, et essayer d'impressionner les autres voilà tous des exemples de sabotage de toi-même alors que tu crois, à tort, que tu renforces ta position auprès d'eux. En te comprenant tu commences à comprendre les autres.

«En t'évaluant tu aurais pu établir tes vrais buts dans la vie. Tu aurais pris conscience de ce qui est important et tu aurais pu déterminer tes valeurs. Les valeurs authentiques que ta conscience a fondées sur les principes directeurs. Sur cette fondation, n'importe quel but aurait été atteint naturellement.

– Mais j'avais des buts», dit l'homme sur la défensive. Il avait appris à se fixer des buts et des objectifs à l'un des séminaires auxquels il avait assisté, lorsqu'il avait monté son affaire. Cela avait certainement fait une différence dans sa façon de planifier sa vie.

«Les buts n'ont aucun sens s'ils ne sont pas établis dans le cadre de vraies valeurs. Sinon, ils ne laissent qu'un sentiment de satisfaction éphémère, lorsqu'ils ont été atteints», répliqua la voix.

– Très peu de buts m'ont donné satisfaction. En fait, je suppose qu'un bon nombre d'entre eux étaient destinés à impressionner les autres, alors que je croyais qu'ils m'importaient vraiment.»

L'homme repensa à la façon dont il avait acheté la maison. Il l'avait voulue pour de mauvaises raisons. Ce n'était pas une maison pratique pour une famille. Sa femme ne s'y était certainement pas sentie à l'aise; c'était une demeure trop vaste, trop éloignée de tout.

S'il se l'avouait honnêtement, lui aussi ne s'y était jamais senti à l'aise. Mais elle avait l'air si impressionnante, et elle était si bien située, que même de loin personne ne pouvait manquer de la voir. Et tant pis s'il avait grevé son budget. L'achat de la maison correspondait à son but d'être quelqu'un d'important dans la ville et, à cet égard, il ne pouvait pas faire mieux.

Il était douloureusement conscient, maintenant, que s'il avait d'abord établi ses valeurs, il n'aurait même pas considéré cela comme un but. Ses valeurs avaient été si superficielles, si changeantes, et lui avaient causé des souffrances et des regrets incroyables.

«Tu n'as pas reçu le message urgent?» La tension dans la voix de sa femme était inhabituelle. Elle était toujours si calme.

– Qu'est-ce qui se passe?» Il était inutile de dire qu'il l'avait rappelé dès qu'il avait reçu le message, car ce n'était pas vrai.

«Ta sœur a téléphoné. C'est ton père. Son état a empiré et l'hôpital nous a fait savoir qu'il faudrait nous y rendre d'ici quarante-huit heures.»

Cette nouvelle n'était pas inattendue. Son père avait le cancer et on l'avait récemment admis dans un hôpital afin qu'il puisse y recevoir les soins dont il avait besoin.

Il connaissait déjà la réponse, mais il s'entendit demander: *«Comment va-t-il?*

– Pas tellement bien», dit sa femme doucement, «il dort la plupart du temps, mais il sait que nous serons là au matin. J'ai déjà téléphoné et demandé à l'hôpital qu'on lui donne le message. J'ai pensé que tu voudrais partir ce soir. Nous pouvons nous arrêter en route pour manger quelque chose.»

Sa première pensée avait été pour Elle. Et qu'adviendrait-il de ses plans? Demain était une journée importante pour lui. Ils pourraient sûrement y aller demain soir. Sa conscience le tirailla encore une fois comme il disait: *«Ce soir et demain. Est-ce qu'on ne pourrait pas partir demain soir? J'ai une journée assez chargée demain.*

– Tu n'es pas sérieux?» Sa femme se tut un instant avant de continuer. «Comment peux-tu même y songer? Après demain, ce sera peut-être trop tard. J'ai pensé que tu voudrais le voir ce soir, mais je n'ai pas pu te rejoindre. En tout cas...», s'arrêta-t-elle encore une fois, «j'ai demandé à ta secrétaire de vérifier ton agenda avant de faire quelque arrangement que ce soit, et elle a dit que tu n'avais qu'un seul rendez-vous pour un "déjeuner" hors de la ville. Je suggère que tu rentres tout de suite à la maison, il nous faudra partir bientôt.»

Il pensait qu'elle allait raccrocher, alors il ajouta rapidement: «Oui, bien sûr, nous devons partir immédiatement. Je pensais tout haut et je n'arrivais pas à mettre de l'ordre dans mes idées. Merci d'avoir tout organisé. Je serai là dans une demi-heure.»

Tout en conduisant vers la maison, l'homme réfléchit à ses réactions. Il avait été continuellement dominé par ses émotions. Il était surpris et un peu méprisant à l'égard de cet homme plutôt replet et énervé qui conduisait trop vite. Il ne s'était pas rendu compte qu'un grand nombre de ses actes avaient été non seulement égoïstes, mais également irresponsables. Ils ne s'inspiraient certainement d'aucun principe.

Il se rappela aussi ce que la voix lui avait dit, qu'on se sentait frustré quand on essayait de contrôler un résultat. Les circonstances étaient peut-être peu appropriées, mais il pouvait voir maintenant très clairement qu'il était seulement possible de contrôler le processus de ses propres actions. Son esprit avait été presque continuellement tourné vers l'avenir, toujours préoccupé par le résultat, qui avait été la chose la plus importante pour lui.

Après coup, il voyait maintenant qu'en dépit de tous ses plans pour le lendemain, il y aurait un résultat différent. Il pouvait voir comment, en réalité, il avait gaspillé une très grande partie de son présent, de l'ici et maintenant, afin d'anticiper des résultats futurs.

Même lorsqu'il était avec Elle, il lui parlait de leur avenir. Même lorsqu'il L'embrassait, plutôt que de jouir du moment, il se demandait à quoi tout cela mènerait. Lorsqu'il était à la maison, ses pensées étaient avec Elle, et lorsqu'il était avec Elle, il pensait au moment où il devrait la quitter pour rentrer chez lui! Ces réalités étaient grotesques! Il avait littéralement gaspillé des moments précieux qui ne reviendraient jamais!

Il se rendit compte à quel point il avait manqué de lucidité et il en fut choqué. Lui qui croyait avoir vécu pleinement! Il se trouvait très intelligent à cette époque. Pourtant, si ses gestes avaient été différents, s'il avait pris conscience de ce qu'il se faisait à lui-même, alors peut-être que les choses auraient fini autrement.

Il se revit en train de garer sa voiture près d'une cabine téléphonique sur le chemin de la maison. Il avait déjà essayé de L'appeler avant de quitter le bureau mais en vain. «Où diable est-Elle?», se demanda-t-il. Il écouta la sonnerie tout en se demandant ce qu'il pourrait faire s'il n'arrivait pas à La contacter. Elle irait en voiture à leur rendez-vous habituel hors de la ville et il n'y serait pas. Toujours pas de réponse.

Personne ne dit mot durant la majeure partie du voyage. Même si les enfants étaient plus contents qu'autre chose de cette journée de congé inattendue, ils sentaient bien l'atmosphère tendue qui émanait de l'avant de la voiture et se tenaient tranquilles.

«Es-tu arrivé à remettre ton rendez-vous?», demanda sa femme.

– *Oui.»* Il mentit. *«Aucun problème.»* Il n'avait pas envie de parler autrement qu'en monosyllabes. Ses émotions continuaient à être chaotiques.

C'est vraiment nous qui nous torturons, se dit-il, tandis qu'il louvoyait entre les voitures. L'enfer n'est pas un endroit où l'on va. Par nos actes nous créons nos propres pénitences. Et le purgatoire doit être quelque chose que nous transportons partout avec nous et qui nous met mal à l'aise où que nous soyons.

Il se tourna vers les enfants, qui avaient commencé à rire et à se chamailler à l'arrière de la voiture. *«Ça suffit vous deux, je ne m'entends pas penser!»* Sa femme soupira à cause de son impatience.

Sa colère et sa frustration se transformèrent en amertume. Il se sentait hébété et désespéré et pour quelle raison? Ce n'était pas à cause de son père et ce ne pouvait pas être à cause d'Elle. Pourtant, c'est Elle qu'il blâmait. Mais comment est-ce que cela pouvait être Sa faute? Elle *est* sans doute en train de vivre dans le présent. Comment saurait-elle qu'il avait essayé de La contacter? Il s'était convaincu qu'elle passait son temps à l'attendre près du téléphone et n'avait pas du tout apprécié quand elle lui avait dit qu'elle aussi menait sa propre vie. Après tout, avait-elle rétorqué promptement, durant une récente dispute, c'était *lui* qui était marié.

Tandis qu'il se revoyait, l'homme se dit: «mais c'est moi-même qui m'inflige ces blessures, je me vautre dans ces souffrances et cet apitoiement sur moi-même. Et je traite les autres et ma famille, de la même façon. Je les flagelle mentalement.» Ses pensées allèrent vers son père. Il ne l'avait pas beaucoup vu après le divorce de ses parents. Son père avait vécu avec la femme pour laquelle il avait quitté sa famille, mais ça n'avait pas marché. Elle avait rompu assez vite et peu après il avait trouvé un emploi à l'autre bout du pays.

Il savait que son père avait écrit et téléphoné fréquemment à sa mère dans l'espoir de refaire un essai de vie en commun. Mais cela ne donna rien. Sa mère avait peut-être été trop profondément blessée, mais il pensa que la raison principale était qu'elle n'avait plus de respect pour son père. *«Comment peut-on aimer quelqu'un si on ne le respecte plus?»*, leur avait-elle dit une fois à sa sœur et à lui.

Par la suite, son père s'était remarié et il se rappelait comme il avait ressenti de l'amertume. Mais pourquoi, se demandait-il maintenant? En quoi cela le regardait-il? Ce serait l'équivalent de son père intervenant dans sa propre vie, pourtant, il avait même essayé de culpabiliser son père. Il se demanda si ses enfants lui feraient subir le même traitement; après tout, ce qu'il avait l'intention de faire n'était pas très différent.

Il espérait qu'ils comprendraient. Il les aimait vraiment. Mais qu'est-ce que c'était que l'amour? Il fut un temps où il avait vraiment aimé sa femme. Particulièrement, quand elle avait mis au monde leurs enfants. À ces occasions, il avait vraiment été conscient de vivre dans le présent. Dans ces instants, le sentiment de ne faire qu'un était difficile à décrire. Si l'amour n'est pur que lorsqu'il est inconditionnel, alors il comprenait ce qu'ils avaient ressenti. Un tel amour semblait avoir une dimension divine. Mais pourquoi ne pouvait-il pas durer?

«À quoi penses-tu?», lui demanda sa femme. Il se vit tourner la tête pendant qu'il écoutait la question.

– Oh, je pensais simplement à papa. C'est tellement triste que les choses en arrivent là pour lui. Il faisait toujours tellement de plans.

– Alors, c'est un peu comme toi.» Il remarqua que son ton était incisif. En revoyant ce moment, maintenant, il était certain que c'était à cause de son insécurité grandissante. C'était indiscutablement à cause de son attitude à lui. Est-ce qu'il était tellement évident qu'il s'était refroidi à son égard? Il se demanda si elle avait su qu'il avait une liaison.

– Que veux-tu dire par là? Mes plans se sont très bien réalisés. Nous avons une belle maison et j'ai une bonne affaire! Mon père n'a jamais travaillé à son compte, bien qu'il en ait toujours parlé. Mais il a toujours travaillé pour les autres. Peut-être que s'il avait eu plus d'équilibre dans sa vie, il aurait été plus heureux.»

Sa femme le regarda avec stupéfaction.

«Équilibre! Tu es vraiment mal placé pour en parler. Le seul équilibre auquel tu as jamais pensé c'est l'équilibre de ton compte en banque!»

Cet échange de mots continua durant la plus grande partie du voyage, jusqu'au moment où les enfants dirent qu'ils avaient faim et demandèrent si on allait manger bientôt. Il profita de l'occasion pour La rappeler et, finalement, elle décrocha.

«Où étais-tu? Je ne me rappelle même plus le nombre de fois où je t'ai appelée.

– Je suis désolée», répondit-elle. «Je ne voulais pas que ça se passe comme ça».

Il parlait très vite pour dire tout ce qu'il avait à dire. «Écoute, je ne peux pas parler longtemps, mais il fallait absolument que je te dise que je ne peux pas venir demain. Je m'en vais voir mon père, il est mourant.» Il s'était arrêté. Quelque chose ne tournait pas rond. Il avait voulu qu'elle se sente coupable de ne pas avoir été là pour lui répondre, mais le ton de sa voix était simplement triste.

«Je suis navrée. Je me demandais pourquoi tu avais l'air si bouleversé.

– Oui je le suis, mais je suis encore plus bouleversé de ne pouvoir te voir demain. J'avais préparé une surprise pour toi.» Impulsivement il décida de Lui dire. «Je voulais t'emmener voir une maisonnette qui sera parfaite pour nous.

– Oh mon Dieu, tu n'as même pas lu la lettre alors?

– Quelle lettre?» Puis il comprit. «Oh, tu es trop occupée à te faire balader par un employé entiché de toi pour prendre le temps de m'en parler face à face, hein?» Il ne pouvait pas croire qu'il lui parlait sur ce ton, mais il lui était impossible de s'arrêter. Il était dans tous ses états et c'était Elle qui en était la cause.

– Ce n'est pas un employé de bureau, c'est mon nouvel associé. Je quitte la compagnie pour travailler avec lui, et je crois qu'il vaut mieux que nous cessions de nous voir!», répondit-elle froidement.

Instantanément, le ton qu'elle avait pris l'avait remis à sa place.

Tout ce qu'il pouvait dire c'était qu'il s'excusait. Les choses ne pouvaient pas finir comme ça. Il fallait qu'ils en parlent. Il devait partir ou sa famille commencerait à se poser des questions. Ses soupçons et sa jalousie avaient été confirmés.

«À qui téléphonais-tu?», demanda sa femme.

Il dut mentir de nouveau, et il eut l'impression qu'il n'était pas très convaincant. Heureusement, elle abandonna le sujet. Elle n'allait pas gaspiller son énergie à être de mauvaise humeur ou peut-être qu'elle ne voulait pas commencer à se quereller avec lui. Il y avait un point sur lequel elle avait raison en tout cas. Sa vie n'était certainement pas équilibrée.

«Un équilibre parfait peut-il exister?» demanda l'homme.

«C'est le premier principe de l'Univers», répliqua la voix. «Ton âme cherche l'équilibre parfait, car elle sait que c'est uniquement grâce à lui qu'elle passera à des niveaux de conscience supérieurs. Elle sait que cela est possible, car c'est déjà une partie intégrante de l'Univers de Dieu. La base de l'Univers est son parfait équilibre. C'est indispensable pour que les planètes tournent harmonieusement sur elles-mêmes sans qu'il y ait collision.»

– Mais un équilibre comme celui-là est à une échelle très différente de celle de l'humanité?

– C'est uniquement ta perception de l'équilibre qui fait la différence. La Nature est l'exemple vivant que Dieu nous donne l'équilibre, pourtant l'humanité, bien que faisant partie de la Nature, a choisi d'ignorer que la sagesse exige l'équilibre. Les êtres humains sont les seules créatures qui n'ont pas d'équilibre dans leur vie sauf s'ils choisissent consciemment de l'atteindre.

«La plupart des êtres n'ont pas conscience qu'il leur faut établir l'équilibre, en tant que principe, dans leur vie pour pouvoir développer leur vraie nature. Pour eux l'équilibre est un point entre deux pôles opposés. Faire davantage de quelque chose en faisant moins d'autre chose, ne permet pas nécessairement d'atteindre l'équilibre.

– Mais est-ce que je n'arrivais pas à l'équilibre lorsque j'essayais de voir mes enfants plus souvent en faisant moins de travail?

– L'équilibre intérieur n'a rien à voir avec deux pôles opposés et contradictoires, comme l'avarice et l'extravagance, mais il exige que l'on combine deux qualités nécessaires telles que la bravoure et la prudence. L'équilibre indispensable à toute relation ne se fait pas entre l'attention et l'inattention. Il se fait lorsque l'attention s'accompagne d'intention. Les enfants, en particulier, sauront parfaitement si tu passes du temps avec eux parce que tu le veux ou parce que tu devrais le faire.

«Chaque qualité doit être accompagnée de son élément complémentaire. Pour être équilibrée, la foi a besoin de la compréhension, l'intuition de la raison, l'émotion de l'intellect, la tranquillité de l'énergie, l'aspiration de l'humilité, et le zèle de la discrétion.»

– Je regrette maintenant de n'avoir pas passé plus de temps avec eux», dit l'homme. «Je voudrais bien maintenant avoir fait tant de choses différemment. En y repensant, je crois qu'aucune de mes aspirations et de mes ambitions n'était tempérée par l'humilité ou la patience.»

«Il est important d'avoir des aspirations et d'être ambitieux pour survivre et évoluer. Ton désir de réussir était positif, mais être constamment préoccupé par ton ambition personnelle t'a rendu nerveux, frustré et impatient au sujet de l'avenir, et cela n'est pas positif. Vivre de façon équilibrée signifie avoir de bons motifs, pas simplement prendre de bonnes initiatives.

– J'ai certainement toujours essayé de prendre de bonnes initiatives et de voir les gens qu'il fallait. C'étaient les buts que je m'étais fixés pour réussir.

– En fin de compte, tu seras toujours reconnu pour ce que tu es et non pour ce que tu essaies d'être. L'équilibre se crée en établissant tes valeurs, en sachant ce qui compte pour toi et ce qui est important pour toi. Les buts, qui ne sont pas fondés sur ces priorités, te mèneront souvent loin de ce que tu désires parce que tes actes causeront ton déséquilibre.

– Mais à certains moments, la seule chose qui était importante pour moi était la tranquillité d'esprit. C'était un bon objectif, non? Et pourtant, plus je la recherchais et moins je semblais la trouver.

– La tranquillité d'esprit est recherchée par les êtres humains plus que tout au monde. Il y a toujours quelque chose de nouveau qui nous fait rechercher la tranquillité d'esprit. Ton moi te pousse à trouver la tranquillité d'esprit dans cette relation, ou au sujet de cette possession, en ce qui concerne cette pensée ou cette action. Mais lequel de tes esprits recherche la tranquillité? Ton esprit spirituel élevé ou ton esprit égoïste et conditionné?

«La vraie tranquillité d'esprit», continua la voix, «ne peut venir que du contentement de ton âme. Elle n'y arrive qu'en s'exprimant par toi, lorsque la modération de ton moi le permet. Rien en dehors de toi ne pourra jamais te la donner. Les relations et les possessions ne sont pas responsables de la tranquillité d'esprit, bien qu'on leur attribue cette faculté.

«Tu es seul responsable de toi-même, donc ta première responsabilité est de te conduire en personne responsable. C'est la seule façon d'acquérir la discipline nécessaire pour introduire l'équilibre dans ta vie. Lorsque tu es équilibré, ton énergie vibratoire passe à un niveau très élevé. Tu attires littéralement une harmonie dans ta vie qui influence tout ce que tu fais et tous les gens que tu rencontres.

«Inversement, la faible énergie que dégage le déséquilibre attire vers toi des circonstances négatives, des relations tendues, la maladie et même les accidents. De toute façon, tu es responsable. Comprends bien cela.» La voix s'arrêta comme pour souligner les mots qui allaient suivre. «L'équilibre, qui est vital pour la quête de ton âme, ne peut s'acquérir qu'en acceptant pleinement ta responsabilité personnelle.»

«Je ne peux pas croire que tu as laissé les choses en arriver là! Tu as utilisé l'argent que ma mère m'a légué pour monter ton affaire. Et maintenant, à cause de ta stupide irresponsabilité, tu me dis que tu as encore besoin d'emprunter!»

Il n'avait jamais vu sa femme aussi consternée et aussi en colère. «On m'a dit que c'était un bon investissement. Le revenu m'aurait fourni le capital supplémentaire dont l'affaire avait besoin. Ce n'est pas ma faute!

– Oui et pourquoi est-ce que tu en as eu besoin? Tu m'as dit que les affaires n'avaient jamais été aussi bonnes.»

Il l'avait cru. Peut-être s'en était-il convaincu. Il lui fallait admettre que depuis qu'il l'avait perdue, Elle, tout semblait s'écrouler de toutes parts. Surtout lui. Incapable de se concentrer, il avait récemment perdu sa plus grosse commande à cause d'une erreur stupide, et une erreur qui n'était pas de sa faute en plus.

Il n'avait pas reçu les nouvelles commandes auxquelles il s'attendait et il lui était devenu impossible de faire face à ses obligations, qui étaient devenues plus importantes qu'il ne l'anticipait. Il avait entendu parler d'un investissement qui promettait des revenus rapides avec un risque minime, négligeable en fait, et il y vit l'occasion de régler ses problèmes de trésorerie.

Cela n'avait pas marché et il s'était demandé désespérément vers qui se tourner. Il voulait redresser la situation avant d'en parler à sa femme, mais il ne savait pas comment faire pour le moment. Et maintenant c'était trop tard. Elle avait tout découvert. Leur compte personnel avait atteint la limite et ils avaient reçu une lettre de la banque demandant des directives.

En se revoyant, il fut surpris de voir à quel point il avait l'air désemparé. Il avait toujours cru qu'il se comportait de façon responsable, et pourtant il commença à se rendre compte qu'il n'avait peut-être eu du talent que pour se décharger de ses responsabilités sur les autres.

«Dans un cas de force majeure comment est-il possible d'assumer toute la responsabilité?» demanda-t-il à la voix.

– En acceptant toujours la responsabilité tu pourras concentrer ton énergie sur la création de solutions. De cette façon, tu crées quelque chose de positif à partir d'une situation difficile et tu peux voir clairement les occasions que t'apporte l'adversité. Les occasions existent toujours dans toutes les situations difficiles, mais tu ne les verras pas si tu utilises ton énergie pour critiquer ou distribuer les blâmes.»

– Mais n'est-il pas important de donner une leçon aux gens lorsqu'ils sont irresponsables, sinon comment apprendront-ils?

– Tu n'es pas responsable de l'irresponsabilité des autres. Ce qui est important c'est que tu es à même de retirer une leçon de l'irresponsabilité des autres. Si quelqu'un te dérobe un objet de valeur, c'est ta colère et ton indignation qui te poussent à exiger une compensation et à faire payer cette personne. Le cri de "qui faut-il blâmer" peut recouvrir les antécédents du coupable, de la société et le gouvernement.

La voix continua. «La vraie leçon qui te permettra d'apprendre et d'évoluer, se trouve dans la solution, elle ne se trouve pas dans le blâme. Il se peut que tu aies besoin d'apprendre à t'attacher moins fortement aux choses. Si ton attachement à ces choses permet à tes émotions négatives de te dominer, alors ce n'est qu'en les perdant que tu peux échapper à l'emprise de ces émotions sur toi. N'oublie pas que tu as tout à gagner quand tu lâches prise.

– Mais qu'en est-il de la personne qui a volé? Si elle n'est pas punie pour son crime, il ne peut sûrement pas y avoir de leçon?

– Quelle que soit la peine encourue pour ce crime et que la société estime juste d'appliquer, elle n'enseignera aucune leçon au coupable, s'il choisit de ne rien apprendre de l'événement. Il peut décider de n'envisager que la faute de la personne à cause de laquelle il a été pris. Il peut y avoir plus d'une façon pour lui d'apprendre la responsabilité personnelle.»

L'homme repensa à l'argent qu'il avait perdu, et à Elle qu'il avait aussi perdue. Il avait décidé que c'était pour ces deux raisons que tout avait commencé à aller de travers. «Mais il me semble très injuste d'avoir à subir une leçon si c'est la faute de quelqu'un d'autre.

– Selon la perception très claire de ton âme c'est parfaitement juste. Tu es le seul capable de te faire souffrir. Les choses sont comme elles sont, que tu les comprennes ou non. Chaque leçon dans ta vie est une bénédiction et toutes tes bénédictions te sont fournies afin que tu choisisses d'évoluer. Tout déséquilibre attirera des situations qui te permettront de retrouver l'équilibre. Ceci est conforme à la quête de la plénitude personnelle de ton âme.»

C'était peut-être à cause du poids de ses responsabilités qu'il avait constamment essayé de s'en débarrasser. L'homme admettait cela maintenant. À certaines occasions dans sa vie cependant, il avait senti l'énorme fardeau que représentait la responsabilité personnelle. Par exemple à la naissance de ses enfants.

Il se rappelait un sentiment indicible de joie et d'accomplissement. Pourtant, lors de chacune de ces occasions, lorsqu'il avait tenu dans ses bras son enfant nouveau-né pour la première fois, ses émotions s'étaient accompagnées d'un profond sentiment de responsabilité à leur égard. Leur vulnérabilité l'avait fasciné. Ils étaient si fragiles, si dépendants.

Il s'était promis qu'il ferait tout pour leur donner une vie heureuse. Si seul l'amour pur pouvait être inconditionnel alors il était certain qu'il l'avait ressenti. Mais était-il resté inconditionnel, se demanda-t-il? Lorsqu'il faisait des efforts pour tenir ses promesses, il avait souvent manqué de confiance en ses capacités de les tenir. Il avait cherché auprès d'eux à se rassurer et à se faire apprécier, presque pour évaluer la mesure dans laquelle il s'acquittait bien de son rôle de père.

Il lui semblait que durant les moments difficiles où il avait été sous pression, ils avaient tenu l'amour de leur père pour acquis. Mais était-ce vrai? Ou ses réflexions sur ce qu'était et n'était pas l'amour n'avaient-elles pas tout simplement déformé ses perceptions? Si ses enfants l'avaient vraiment apprécié alors ils auraient dû être plus démonstratifs, s'était-il dit, ne savaient-ils pas à quel point ils avaient de la chance de l'avoir comme père? Ils auraient pu au moins lui montrer qu'ils appréciaient tout ce qu'il avait fait pour eux.

Mais alors pourquoi avait-il toujours attendu leurs remerciements? Cela rendait tout ce qu'il avait fait pour eux conditionnel. Avait-il voulu subvenir à leurs besoins en *échange* de leur amour, de leur appréciation et de leur respect, ou simplement *par* amour?

Avait-il toujours eu tellement peu confiance en lui même en ce qui concernait sa famille? Il n'avait *pas* promis à leur naissance qu'il s'occuperait d'eux *seulement* à la condition qu'ils l'aimeraient et qu'ils l'apprécieraient. Et pourtant, le voilà en train de se rappeler comme ils avaient été peu reconnaissants après tout ce qu'il avait fait pour eux. Il les avait culpabilisés parce qu'il avait été obligé de tenir sa promesse. N'avait-il pas lui aussi fait preuve d'ingratitude lorsqu'il était enfant? Même s'il n'avait pas compris ce qu'il était censé faire lorsqu'il était enfant, il avait fait la *même* chose. Inconsciemment ou pas, il avait utilisé la culpabilité injustement. À quel point un parent peut-il être irresponsable? Chose certaine, c'est lui qui aurait dû être reconnaissant de les avoir. Ils étaient sa famille, son ancre, et si quelqu'un avait tenu quelque chose pour acquis c'était bien lui. Et maintenant ils étaient partis.

«Qu'est-ce que c'est que ça?» Sa femme avait offert de l'aider au bureau depuis qu'il n'avait plus de secrétaire pour diminuer les dépenses.

Son cœur s'arrêta lorsqu'il s'aperçut qu'elle tenait une lettre d'Elle. Il avait eu l'intention de la détruire mais il ne l'avait pas fait. C'était comme si en gardant la lettre il pouvait continuer à souffrir. Son esprit ne pouvait pas accepter que la relation soit terminée.

Depuis ce jour-là tout avait changé.

«Oh salut, papa. Maman dit de ne pas te préoccuper de ce week-end. Elle a organisé quelque chose d'autre. Oh à propos, est-ce que tu peux nous apporter l'argent que tu as promis pour l'excursion de l'école?»

Il avait déposé lentement le combiné du téléphone après cet appel. Elle ne voulait plus lui parler, autrement que par ses avocats, elle ne lui donnait aucune possibilité de s'expliquer. Et il était certain qu'elle essayait de rendre les choses beaucoup plus difficiles pour lui. Il était évident pour lui qu'elle voulait le faire payer, elle voulait le rendre entièrement responsable.

À ce moment-là, il avait essayé de lui expliquer que ce n'était pas seulement sa faute et que de toute façon c'était terminé. Cependant, elle n'avait pas été intéressée par les arguments qu'il avait offerts pour sa défense. Elle avait juré qu'il n'y avait aucun espoir qu'elle lui pardonne jamais. En s'observant maintenant, il pouvait voir qu'il avait été responsable de sa réaction, mais sa rapidité l'avait choqué.

Il se sentait tellement seul, il n'avait personne à qui parler. Il avait toujours été tellement occupé lorsqu'ils étaient ensemble. Trop occupé pour les remarquer même. Il semblait qu'il avait toujours quelque chose à faire et qu'ils le gênaient. Il n'avait pas eu de temps à leur consacrer, et pourtant maintenant tout était si vide dans sa vie. Il avait besoin d'eux plus que jamais.

C'est vrai, pensa-t-il, en se versant un autre verre, *c'est moi qui ai tenu leur amour pour acquis*. Il avait du mal à croire qu'il avait vraiment planifié de les quitter. Pourtant, c'était eux qui l'avaient quitté, ironiquement pour la même raison que lui: Elle.

Plus rien ne rimait à rien, mais pourquoi se sentait-il comme ça? Ce n'était peut-être pas vraiment ce qu'il avait voulu, et il s'était laissé encore une fois distraire facilement par les gens et les situations extérieures. Il ne s'était pas maîtrisé, comme il croyait avec assurance. Il ne s'était jamais maîtrisé. Comment avait-il pu le faire, toutes ses décisions avaient été influencées par des facteurs extérieurs?

Si ce n'était pas le cas, alors pourquoi voulait-il si désespérément retrouver sa famille, maintenant qu'ils étaient partis? Qu'aurait-il éprouvé si la situation avait été celle qu'il avait planifiée initialement quand il prévoyait aller vivre avec Elle? Est-ce que vivre avec Elle lui aurait vraiment donné ce dont il pensait avoir besoin?

Tandis qu'il se revoyait en train de se verser un autre verre il commença à accepter l'idée que toutes ses frustrations dans la vie étaient attribuables à ses faux désirs et non pas parce qu'il n'avait pas obtenu ce dont il croyait, à tort, avoir besoin. Il n'avait jamais été conscient de ce qu'il voulait vraiment, de ses vrais désirs.

«Lorsque tu éprouves certains désirs pour une autre personne», dit la voix, «tu te persuades qu'elle peut t'aider ou te donner ce que tu veux. Cependant, les frictions commencent à se manifester à mesure que les deux personnes ont des désirs contraires. Ton désir pour l'autre crée en toi inconsciemment l'idée que l'autre *devrait* ou *doit* se comporter comme tu le veux. Lorsque l'autre personne ne le fait pas, tu sens que l'on t'a trompé et tu en as du ressentiment. Tu penses, à tort, que ta douleur vient de l'égoïsme de l'autre alors qu'en réalité elle provient de ton faux désir.

– Donc mes faux désirs ont détruit les relations qui comptaient pour moi?», demanda l'homme.

– La raison pour laquelle un bon nombre de relations sont détruites est que chacune des parties essaie de recevoir ce que l'autre ne peut pas donner. Deux personnes peuvent être excitées par la nouveauté de la situation, mais lorsque cette excitation disparaît, comme elle le fait toujours, on cherche une nouvelle orientation pour se débarrasser de ce sentiment de vide.

«Cependant, ce que l'on recherche continuellement dans l'autre», continua la voix, «doit d'abord être découvert en soi-même. Par exemple, il est inutile d'appeler amour une relation fondée sur le désir. Cela peut sembler romantique, mais l'amour authentique c'est autre chose. Ce n'est que lorsque tu es conscient de ton vrai moi et que tu as fait l'expérience de l'amour en toi-même que tu le reconnais dans un autre.

– Donc le vide et la souffrance que j'ai ressentis étaient toujours causés par ce dont je croyais avoir besoin, par ces faux désirs?

– Lorsque tu ne réfléchis pas au-delà de tes faux désirs, inconsciemment tu bloques la satisfaction de tes vrais besoins. La douleur qui cause ce sentiment de vide est toujours une douleur que tu t'es infligée toi-même, mais c'est seulement à ressentir ce vide que tu deviens réceptif et que tu apprends quelque chose de nouveau. Il faut tenir compte de la douleur physique pour retrouver la santé de ton corps et de même ta douleur mentale peut être utilisée comme guide pour te mener vers la plénitude spirituelle.

«Il est possible de se débarrasser de la souffrance, de ce vide causé par la souffrance. Mais souvent, on cherche dans la mauvaise direction. Par exemple, lorsqu'on subit une perte; qu'il s'agisse de la perte d'un conjoint, d'un ami, de la popularité, du confort ou de toute autre chose, la première impulsion est de fuir la douleur en cherchant à remplacer ce que l'on a perdu.»

Instantanément, l'homme se rappela comment il avait essayé de La retrouver, Elle, lorsque sa femme l'avait quitté, mais en vain. «Je l'ai fait, mais pourquoi?

– Parce que tu n'avais plus le sentiment de sécurité que ta famille t'avait apporté. Ayant perdu ce qui était familier, tu cherches quelque chose qui, espères-tu, deviendra également familier. Pourtant, tout ce qui se passe c'est que tu te retrouves encore plus désespéré.

– C'est exactement ce que j'ai ressenti, mais c'est tout ce que je trouvais à faire.

– Il est difficile de s'empêcher de faire une erreur lorsqu'on suppose, à tort, que c'est la seule chose à faire, sans quoi tout va s'écrouler. Cette façon de penser est insensée car c'est le contraire qui est la réalité. Lorsque tu cesses de planifier et de calculer une vie heureuse et significative, ta prise de conscience s'intensifie et tu deviens une personne unifiée.

– Quelle autre direction aurais-je dû prendre?

– La réponse est simple, bien qu'elle puisse paraître difficile, car elle est contraire à toutes tes réactions habituelles en cas de perte. Tu dois faire face à ta nouvelle situation peu familière avec un sentiment d'émerveillement. Observe-toi dans tout ce qui est une nouvelle expérience intéressante pour toi. Observe à quel point tu te sens perdu, perplexe, inquiet et dénué d'espoir, d'attentes et de confort. Décide de ne **pas t'enfuir** de cette situation et, reste plutôt afin d'écouter ce qu'elle peut t'enseigner.»

L'homme commença à être convaincu intensément qu'il avait pris la mauvaise direction. Plutôt que de faire face à sa propre souffrance, il avait toujours essayé de s'en évader. Il pouvait voir maintenant qu'il fallait dissoudre la souffrance et non pas s'échapper.

«Lorsque tu es en mesure de t'observer avec un œil neuf, tu rends possible le miracle de la transformation. Peu importe si tes conditions extérieures changent ou pas, parce que ce miracle ne se produit pas dans ton monde extérieur. Il se produit dans ton monde intérieur.

«L'intensification de ta prise de conscience te permet de voir ce que peut t'apporter ta souffrance. Tu te rends compte que les éléments sur lesquels tu t'appuyais, ont tous été illusoires et faux. En t'en débarrassant, la vérité vient te soutenir complètement. Ce n'est qu'au moment où tu n'as plus de soutien que tu peux être soutenu.

– On dirait une devinette. Je ne comprends pas la contradiction.

– C'est une des vérités paradoxales de ton monde intérieur qu'il est important de comprendre.» La voix commença à expliquer: «Si tu as une raison de savoir que tout va bien, par exemple, parce que tes finances sont en bon état, parce que tu as une famille et des amis, alors tu n'as pas de sécurité véritable.

– Pourquoi?

– Car dépendre de telles choses engendre la peur, tu commences à t'inquiéter lorsque tout va si bien et à te demander combien de temps cela va durer. Tu peux seulement savoir que tout va bien lorsque tu n'as absolument aucune raison. De cette façon tu ne dépends d'aucun soutien psychologique. Ce n'est qu'en étant dans cet état de liberté que tu peux réellement profiter de ton argent et de ta famille, car tu n'as aucune peur de les perdre.

«Tout dépend si tu utilises correctement ta souffrance ou pas. Ensuite viennent la croissance, la compréhension et plus jamais de sentiment de perte. Seul le changement, cette réalité de la vie, est le bonheur.

«Quelle que soit ta relation avec une autre personne, tu dois rester psychologiquement détaché de cette personne. Ceci vaut pour tout le monde. Tu ne dois rien aux autres excepté d'être vrai, et ils te doivent d'être vrais aussi. Ne t'attends à rien, car toi seul peux donner une vraie valeur à ta personne. Il ne s'agit pas de froide indifférence, mais plutôt de quelque chose d'extraordinairement chaleureux. Car c'est l'amour authentique. Lorsque tu apprends à faire cela, tout change, parce que tu n'exiges plus consciemment ou inconsciemment quoi que ce soit des autres.»

L'homme repensa à toutes les exigences qu'il avait eues à l'égard des personnes qui avaient été tellement importantes pour lui à l'époque. Et pourtant où étaient-elles toutes maintenant? Il avait fini par les perdre et à se retrouver complètement seul.

«Ne pouvez-vous pas au moins m'aider? Il m'est impossible de trouver tout cet argent. Pourquoi ne m'avez-vous pas prévenu?» Il était sûr que le chiffre était faux. Comment pouvait-il avoir tant d'impôts à payer?

– J'ai toujours fait du mieux possible. Et je vous ai prévenu que cela allait arriver. Vous avez dépensé plus d'argent que vous n'en avez gagné. C'est aussi simple que ça!» Il resta sourd aux paroles du comptable. Il n'avait pas écouté. Ce n'était pas ce qu'il avait voulu entendre.

– Mais c'était votre idée que je montre que j'avais fait de gros bénéfices», se vit-il en train de répliquer avec brusquerie. *«Comment ces chiffres peuvent-ils être inscrits quelque part, puisque je n'ai rien vu de tout cela?*

– Vous m'avez donné des instructions précises: montrer les meilleurs chiffres possible afin que vous puissiez obtenir l'hypothèque que vous vouliez et je l'ai fait à partir des renseignements que vous m'avez fournis.»

Il n'arrivait pas à croire ce qui était en train de se passer. Sa maison avait été saisie et ses créanciers avaient demandé à ce qu'il se mette en faillite. Il était complètement perdu et seul. Personne ne lui avait manifesté la moindre compassion. En fait, il était certain qu'ils étaient tous très contents de ce qu'il lui arrivait. Même le serveur à qui il avait toujours donné des pourboires si généreux refusait sa carte de crédit d'une manière hautaine. Son embarras lui avait fait terriblement mal tandis qu'il avait essayé devant ses collègues d'avouer ne pas pouvoir comprendre pourquoi tout cela lui arrivait, et qu'il s'arrangerait pour avoir de l'argent liquide le jour même.

L'homme s'observait maintenant de façon plus détachée qu'auparavant. Il fut surpris de voir à quel point il avait eu l'air désemparé et perdu. Avait-il vraiment été si peu conscient de la façon dont il s'était comporté; ce n'était guère possible. Et pourtant, en se revoyant il voyait bien qu'il continuait à s'accrocher à son stupide orgueil.

Il pensait qu'il avait tout perdu, sa maison et sa famille, même ses enfants devenaient des étrangers; ses affaires, son crédit et son amour-propre, mais ce n'était pas le cas. Il n'avait pas perdu son orgueil, qui maintenant semblait prendre refuge dans l'apitoiement sur son sort.

«Pourquoi n'ai-je pas vu ce que j'étais en train de me faire?», demanda-t-il.

– Les tentatives frénétiques des gens pour faire venir la vie à leur porte», répliqua la voix, «sont exactement ce qui l'empêche d'y venir. Selon toi, tu te conduisais de la seule façon que tu connaissais. Tu avais développé un rôle pour toi-même qui correspondait à ce qui t'était le plus familier. Et tu as continué à jouer ce rôle même lorsqu'il t'a éloigné de tout ce dont tu disposais.

– Mais vous avez dit que l'adversité est une façon de ramener les gens sur le droit chemin. Eh bien j'en ai eu plus que ma part, non?

– La qualité ou la quantité des leçons n'ont aucun rapport. Il faut choisir d'apprendre. Ce n'est pas facile quand on a choisi d'avoir recours à des habitudes formées depuis longtemps. Les habitudes qui se façonnent au cours de ta vie finissent par la contrôler. Si tu ne fais pas la conquête de tes habitudes, ce sont elles qui feront la tienne. Par exemple, ton habitude de n'entendre que ce que tu veux entendre t'a simplement empêché d'écouter les avertissement que l'on t'envoyait.»

L'homme se tut et continua à s'observer avec tristesse tout en pensant à ce qui aurait pu être s'il avait écouté davantage.

Il se versa un autre verre en regardant autour de lui. Personne ne s'intéressait de savoir s'il buvait trop, et certainement pas lui. Toutes ces années d'efforts pour être quelqu'un et où était-il arrivé?

Une petite maisonnette. Il se demanda si son orgueil lui permettrait de demander des prestations de sécurité sociale. *«Il faudra que je le fasse bientôt»*, pensa-t-il. Le reste de sa famille avait dû le faire, alors pourquoi pas lui? De toute façon, il lui fallait bien payer le loyer.

Ironie du sort, pensez-vous; il avait souhaité vivre dans une maisonnette et maintenant qu'il y était, ce n'était absolument pas ce qu'il avait imaginé. Au fond, qu'avait-il envisagé à propos de quoi que ce soit? Toute sa vie, il avait erré de droite à gauche. Peut-être avait-il toujours cherché son intérêt, mais qui ne le faisait pas? Il était certain pourtant qu'il ne méritait pas la situation dans laquelle il se trouvait.

Il regarda le journal qui était par terre et remarqua encore une fois «l'avis aux créanciers» qui le concernait dans la colonne des liquidations. Ça y était. Il avait fait faillite. «Que diable vais-je faire?» demanda-t-il. «Je pourrais aussi bien m'enlever la vie», dit-il à haute voix.

«Tout le monde se portera mieux sans moi, je ne manquerai probablement à personne. Ça leur donnerait certainement une leçon. Ils se sentiraient tous très mal après ce qu'ils m'ont fait. Mais il savait qu'il n'avait pas le courage de le faire. Tout en vidant son verre et en s'en versant un autre, il remarqua un article qu'il n'avait pas vu. C'était l'histoire des succès d'une personne qu'il connaissait. «C'est ridicule!», cria-t-il. «Que diable a-t-il fait pour mériter cela? Je parie que c'est seulement à cause de ses relations!»

«Pourquoi ai-je trouvé si difficile d'accepter mes responsabilités?» demanda l'homme.

– Ton moi se sentait à l'aise dans la sécurité qu'il avait déjà trouvée pour toi. Et surtout, c'était de croire que les autres et les circonstances au-delà de ton contrôle, faisaient de la vie ce qu'elle était, plutôt que de chercher un autre genre de sécurité. En blâmant les autres pour tout ce qui n'allait pas, tu découvrais une raison acceptable pour expliquer ton succès limité.

«Cela a permis à tes émotions négatives dominantes de contrôler toute tes pensées», continua la voix. «Ces émotions tirent leur force en accordant une signification aux événements extérieurs. Par conséquent, ta façon de percevoir ton monde a fait de toi une personne influencée extérieurement. Quand les choses allaient bien tu pensais que c'était de la chance. Quand les choses allaient mal, tu pensais qu'il fallait en blâmer le système.»

– Je vois bien maintenant que je cherchais toujours des raisons, des excuses je suppose.

– Dès que tu cesses de te chercher des excuses tu commences à prendre l'entière responsabilité de toi-même. La responsabilité te fait regarder vers l'avant. Le blâme te fait toujours regarder vers l'arrière.»

Il était décidé à les voir, même si c'était la dernière chose qu'il faisait, se dit-il. C'était ses enfants et il avait le droit de les voir. Il voulait s'expliquer. Il devait expliquer. Obliger sa femme à l'écouter. Il se dirigeait dans la direction de la maison où habitait sa femme maintenant. Il conduisait rapidement, il fallait qu'il y arrive aussi vite que possible. Cela ne pouvait attendre. Les choses devaient être dites, il voulait qu'ils reviennent tous. Si seulement elle pouvait voir à quel point il regrettait, il était sûr qu'elle lui pardonnerait. Il le fallait, il ne connaissait personne d'autre vers qui se tourner. L'alcool lui avait peut-être donné le courage de leur faire face, mais il les rencontrerait. Tout irait bien. Ils l'écouteraient.

«Si, à cause de mes choix, je n'ai pas saisi l'occasion d'apprendre quelque chose des leçons de ma vie, comment pouvais-je évoluer? Toute ma vie n'a sans doute été qu'une farce?

– Quelles que soient les situations provoquées par ton déséquilibre, elles continueront à se représenter sous différents aspects jusqu'à ce que tu évolues. Comment ta vie peut-elle être gaspillée puisqu'elle ne constitue qu'une partie de la quête de ton âme? Les occasions continueront toujours à venir les unes après les autres. Ton âme doit simplement attendre jusqu'à ce que les occasions qui se présentent soient celles que tu choisis pour apprendre. Elle sait que la plénitude viendra. C'est la Loi. C'est ce que Dieu veut pour toi.»

Il essaya désespérément de contrôler la voiture tandis qu'il dérapait vers la barrière de sécurité. L'homme revoyait la scène qui semblait se dérouler au ralenti. Il ne conduisait pas si vite que ça? Le virage avait dû être plus dangereux qu'il ne l'avait jugé. «Oh mon Dieu non!», s'entendit-il crier tandis que le camion qui venait en sens inverse emboutissait sa voiture.

«Pourquoi t'es-tu enlevé la vie?»

Encore une fois, la voix posait la question.

Elle connaissait la réponse maintenant. Elle ne referait pas la même erreur que l'autre fois. Pas avec *cette* occasion. La vie, celle que la voix l'avait aidé à voir si clairement, n'avait *pas* été gaspillée. Elle *avait* appris. Elle avait *écouté*. Elle *choisirait* autrement cette fois-ci.

«Quand tu seras prête...», dit calmement la voix, «ouvre les yeux et respire profondément.»

Elle prit conscience du doux battement de son cœur, du murmure de la circulation lointaine, et de la silhouette floue de quelqu'un assis près d'elle. L'air était propre et sentait la clinique. Du bout des doigts elle sentit les boutons sur le cuir du divan.

Lentement, dans l'obscurité, ses yeux commencèrent à voir la lumière. La jeune femme s'assit, fit pivoter ses jambes vers le sol et marcha vers les rayons du soleil qui commençaient à entrer à flots par la fenêtre.

Il avait plu abondamment et elle voulait toucher l'arc-en-ciel qui éclairait l'horizon. Tout était rafraîchi, lavé à neuf. Tout brillait et étincelait. Elle sentait qu'elle faisait partie de tout cela. Partie d'une quête plus grande et plus significative. Une quête pour laquelle elle devait vivre, apprendre et évoluer. Eh oui, elle continuerait à évoluer. Car maintenant, elle comprenait. L'âme qui était en elle continuerait à chercher la plénitude à travers elle. C'était cela la vie. C'était pour cela qu'elle avait été créée.

La montre-bracelet de la silhouette continua silencieusement à mesurer le temps.

Pour chaque instant passé, il y a un instant présent,
Pour apprécier la beauté, être témoin de l'absurde,
Pour s'élever, pour comprendre la profondeur,
Pour reconnaître d'abord ce qui est plein,
Pour faire face ensuite au vide,
À chaque quête, il y a un pourquoi et un comment,
Puis croire qu'avec la mort, vient la Vie
Et avec la Foi, la plénitude.

CHEZ LE MÊME ÉDITEUR:

Ces titres sont en vente sous format de livres ou de cassettes audio

52 activités pour occuper vos enfants sans la télévision, *Phil Phillips*

52 cartes d'affirmations, *Catherine Ponder*

52 étapes pour atteindre le succès, *Napoleon Hill*

52 façons d'aider votre enfant à mieux réussir à l'école, *Jan Lynette Dargatz*

52 façons d'améliorer votre vie, *Todd Temple*

52 façons de développer son estime personnelle et sa confiance en soi, *Catherine E. Rollins*

52 façons d'élever des enfants sans se surmener, *Mary Manz Simon*

52 façons de faire des économies, *Kenny Luck*

52 façons de perdre du poids, *Carl Dreizler et Mary E. Ehemann*

52 façons de réduire le stress dans votre vie, *Connie Neal*

52 façons de rendre vos vacances en famille encore plus agréables, *Kate Redd*

52 façons d'organiser votre vie personnelle et familiale, *Kate Redd*

52 façons pour une mère active de gagner du temps, *Kate Redd*

52 façons simples d'aider votre enfant à s'aimer et à avoir confiance en lui, *Jan Lynette Dargatz*

52 façons simples de dire «Je t'aime» à votre enfant, *Jan Lynette Dargatz*

52 façons simples d'encourager les autres, *Catherine E. Rollins*

52 façons simples de s'amuser avec votre enfant, *Carl Dreizler*

52 rendez-vous amoureux, *Dave et Claudia Arp*

1001 maximes de motivation, *Sang H. Kim*

Accomplissez des miracles, *Napoleon Hill*

Agenda du Succès *(formats courant et de poche), éditions Un monde différent*

Aidez les gens à devenir meilleurs, *Alan Loy McGinnis*

À la conquête du succès, *Samuel A. Cypert*

À la recherche d'un équilibre: une stratégie antistress, *Lise Langevin Hogue*

Ange de l'espoir (L'), *Og Mandino*

À propos de..., *Manuel Hurtubise*

Apprivoiser ses peurs, *Agathe Bernier*

Après la pluie, le beau temps!, *Robert H. Schuller*

Arrêtez d'avoir peur et croyez au succès!, *Jean-Guy Leboeuf*

Arrêtez la terre de tourner, je veux descendre!, *Murray Banks*

Ascension de l'empire Marriott (L'), *J.W. Marriott et Kathi Ann Brown*

Assurez-vous de gagner, *Denis Waitley*

Atteindre votre plein potentiel, *Norman Vincent Peale*

Attirez la prospérité, *Robert Griswold*

Attitude d'un gagnant, *Denis Waitley*

Attitude gagnante: la clef de votre réussite personnelle (Une), *John C. Maxwell*

Attitudes pour être heureux, *Robert H. Schuller*

Au cas où vous croiriez être normal, *Murray Banks*

Bien vivre sa retraite: l'art de profiter de ses temps libres, et la vie affective et sexuelle à la retraite, *Jean-Luc Falardeau et Denise Badeau*

Cadeau le plus merveilleux au monde (Le), *Og Mandino*

Comment attirer l'argent, *Joseph Murphy*

Comment contrôler votre temps et votre vie, *Alan Lakein*

Comment réussir l'empowerment dans votre organisation? *John P. Carlos, Alan Randolp et Ken Blanchard*

Comment se fixer des buts et les atteindre, *Jack E. Addington*

Comment vaincre un complexe d'infériorité, *Murray Banks*
Comment vivre avec soi-même, *Murray Banks*
Communiquer: Un art qui s'apprend, *Lise Langevin Hogue*
Créé pour vivre, *Colin Turner*
Créez l'abondance, *Deepak Chopra*
Dauphin, l'histoire d'un rêveur (Le), *Sergio Bambaren*
Débordez d'énergie au travail et à la maison, *Nicole Fecteau-Demers*
Découvrez le diamant brut en vous, *Barry J. Farber*
Découvrez votre mission personnelle par les signes de jour et les rêves de nuit, *Nicole Gratton*
De l'échec au succès, *Frank Bettger*
De la part d'un ami, *Anthony Robbins*
Dépassement total, *Zig Ziglar*
Développez habilement vos relations humaines, *Leslie T. Giblin*
Développez votre confiance et votre puissance avec les gens, *Leslie T. Giblin*
Développez votre leadership, *John C. Maxwell*
Devenez la personne que vous rêvez d'être, *Robert H. Schuller*
Devenez une personne d'influence, *John C. Maxwell* et *Jim Dornan*
Devenir maître motivateur, *Mark Victor Hansen et Joe Batten*
Dites oui à votre potentiel, *Skip Ross*
Dix commandements pour une vie meilleure, *Og Mandino*
Elle et lui une union à protéger, *Willard F. Harley*
Enthousiasme fait la différence (L'), *Norman Vincent Peale*
Envol du fabuleux voyage (L'), *Louis A. Tartaglia*
Esprit qui anime les gagnants (L'), *Art Garner*
Être à l'écoute de son guide intérieur, *Lee Coit*
Eurêka!, *Colin Turner*
Éveillez votre pouvoir intérieur, *Rex Johnson et David Swindley*
Évoluer vers le bonheur intérieur permanent, *Nicole Pépin*
Faites la paix avec vous-même, *Ruth Fishel*
Fonceur (Le), *Peter B. Kyne*

Fortune à votre portée (La), *Russell H. Conwell*
Gestion du temps (La), *Danielle DeGarie*
Hectares de diamants (Des), *Russell H. Conwell*
Homme est le reflet de ses pensées (L'), *James Allen*
Homme le plus riche de Babylone (L'), *George S. Clason*
Il faut le croire pour le voir, *Wayne W. Dyer*
Je vous défie!, *William H. Danforth*
Journal d'un homme à succès, *Jim Paluch*
Lâchez prise!, *Guy Finley*
Légende des manuscrits en or (La), *Glenn Bland*
Livre des secrets (Le), *Robert J. Petro* et *Therese A. FInch*
Livre d'or de l'optimiste (Le), *parrainé par Véronique Cloutier*
Livre d'or des relations humaines (Le), *parrainé par Pierre Lalonde*
Livre d'or du bonheur (Le), *parrainé par Diane et Paolo Noël*
Livre d'or du gagnant (Le), *parrainé par Manuel Hurtubise*
Lois dynamiques de la prospérité (Les), *Catherine Ponder*
Magie de croire (La), *Claude M. Bristol*
Magie de penser succès (La), *David J. Schwartz*
Magie de s'autodiriger (La), *David J. Schwartz*
Magie de voir grand (La), *David J. Schwartz*
Maigrir par autosuggestion, *Brigitte Thériault*
Maître (Le), *Og Mandino*
Marketing de réseaux, un mode de vie (Le), *Janusz Szajna*
Même les aigles ont besoin d'une poussée, *David McNally*
Mémorandum de Dieu (Le), *Og Mandino*
Menez la parade!, *John Haggai*
Mes valeurs, mon temps, ma vie!, *Hyrum W. Smith*
Moine qui vendit sa Ferrari (Le), *Robin S. Sharma*
Monde invisible, monde d'amour, *Joanne Boivin et Carole Champagne*
Motivation par l'action (La), *Jack Stanley*
Napoleon Hill et l'attitude mentale positive, *Michael J. Ritt*

Naufrage intérieur, le vrai Titanic, *Richard Durand*
Objectif: Réussir sa vie et dans la vie!, *Richard Durand*
Oser... L'Amour dans tous ses états!, *Pierrette Dotrice*
Osez Gagner, *Mark Victor Hansen et Jack Canfield*
Ouvrez votre esprit pour recevoir, *Catherine Ponder*
Ouvrez-vous à la prospérité, *Catherine Ponder*
Parfum d'amour, *Agathe Bernier*
Paradigmes (Les), *Joel A. Baker*
Pensée positive (La), *Norman Vincent Peale*
Pensez du bien de vous-même, *Ruth Fishel*
Pensez en gagnant!, *Walter Doyle Staples*
Performance maximum, *Zig Ziglar*
Personnalité plus, *Florence Littauer*
Plus grand miracle du monde (Le), *Og Mandino*
Plus grand mystère du monde (Le), *Og Mandino*
Plus grand secret du monde (Le), *Og Mandino*
Plus grand succès du monde (Le), *Og Mandino*
Plus grand vendeur du monde (Le), *Og Mandino*
Pourquoi se contenter de la moyenne quand on peut exceller?, *John L. Mason*
Pouvoir de la pensée positive (Le), *Eric Fellman*
Pouvoir de la persuasion (Le), *Napoleon Hill*
Pouvoir de l'optimisme (Le), *Alan Loy McGinnis*
Pouvoir de vendre (Le), *José Silva et Ed Bernd fils*
Pouvoir triomphant de l'amour (Le), *Catherine Ponder*
Prenez du temps pour vous-même, *Ruth Fishel*
Prenez rendez-vous avec vous-même, *Ruth Fishel*
Progresser à pas de géant, *Anthony Robbins*
Provoquez le leadership, *John C. Maxwell*
Psychocybernétique (La), *Maxwell Maltz*
Puissance de votre subconscient (La), *Joseph Murphy*
Puissance d'une vision (La), *Kevin McCarthy*

Quand on veut, on peut!, *Norman Vincent Peale*
Que faire en attendant le psy?, *Murray Banks*
Regard au-dessus des nuages, *Joanne Boivin et Carole Champagne*
Relations humaines, secret de la réussite (Les), *Elmer Wheeler*
Rendez-vous au sommet, *Zig Ziglar*
Retour du chiffonnier (Le), *Og Mandino*
Réussir grâce à la confiance en soi, *Beverly Nadler*
Roue de la sagesse (La), *Angelika Clubb*
Route de la vie (La), *Carolle Anne Dessureault*
S'aimer soi-même, *Robert H. Schuller*
Sans peur et sans relâche, *Joe Tye*
Se connaître et mieux vivre, *Monique Lussier*
Secret de la vie plus facile (Le), *Brigitte Thériault*
Secret d'un homme riche (Le), *Ken Roberts*
Secret d'une prospérité illimitée (Le), *Catherine Ponder*
Secrets de la confiance en soi (Les), *Robert Anthony*
Secrets de la vente professionnelle, *Jean-Guy Leboeuf*
Secrets d'une vie magique, *Pat Williams*
Secrets pour conclure la vente (Les), *Zig Ziglar*
Se guérir soi-même, *Brigitte Thériault*
Semainier du Succès (Le), *éditions Un monde différent ltée*
Sept lois spirituelles du succès (Les), *Deepak Chopra*
S.O.S. à l'amour, *Willard F. Harley, fils*
Sport versus affaires, *Don Shula et Ken Blanchard*
Succès d'après la méthode de Glenn Bland (Le), *Glenn Bland*
Succès n'est pas le fruit du hasard (Le), *Tommy Newberry*
Télépsychique (La), *Joseph Murphy*
Tiger Woods: La griffe d'un champion, *Earl Woods et Pete McDaniel*
Tout est possible, *Robert H. Schuller*
Un, *Richard Bach*
Vente: Étape par étape (La), *Frank Bettger*

En vente chez votre libraire ou à la maison d'édition
Prix sujets à changement sans préavis

Si vous désirez obtenir le catalogue de nos parutions,
il vous suffit de nous écrire à l'adresse suivante:
Les éditions Un monde différent ltée
3925, Grande-Allée
Saint-Hubert (Québec), Canada J4T 2V8
ou de composer le (450) 656-2660 ou le téléco. (450) 445-9098
Site web: http://www.umd.ca
Courriel: info@umd.ca